Richard Ploner

Vorspeisen
aus Südtirol

Aufnahmen von Daniela Kofler

Zweite Auflage

VERLAGSANSTALT ATHESIA · BOZEN

Reduzierte Ausgabe
des im gleichen Verlag erschienenen
großformatigen Buches

2002
Alle Rechte vorbehalten
© by Verlagsanstalt Athesia Ges.m.b.H., Bozen (1994)
Gesamtherstellung: Athesiadruck, Bozen

ISBN 88-7014-781-9

www.athesiabuch.it
buchverlag@athesia.it

Mit Freude kann ich einen natürlichen Werdegang der Südtiroler Küche verfolgen, die sich immer mehr dem heutigen Trend des leichten, ernährungsbewußten, kreativen Kochens zuwendet, wobei wir auf keinen Fall unsere bodenständigen Gerichte, die in jedem Bereich immer eine gelungene sowie notwendige Alternative darstellen, vergessen dürfen. Man kann auch mit einfachen Gerichten, wie zum Beispiel Speckknödel mit Kartoffeldressing, gelungene, erlesene Kochkunst bieten.

Besonders mit diesem und meinen bereits früher erschienenen Büchern »Brot aus Südtirol« und »Nachspeisen aus Südtirol« möchte ich bei unserer Jugend, die sich für den Kochberuf entscheidet, sowie bei Hobbyköchen, Hausfrauen und Köchen, die um fortwährende berufliche Weiterbildung bemüht sind, Begeisterung, Motivation, Kraft und Ausdauer wecken, denn so können wir alle dazu beitragen, dem Kochberuf Lob und Ehre zu verschaffen.

In diesem Buch findet sich ein in Sparten aufgegliedertes Rezepterepertoire mit über hundert Rezeptideen wie kalte Vorspeisen, Suppen, Nudel- und Reisgerichten, Nocken, Südtiroler Vorspeisen, Gemüse-, Fisch- und Eiervorspeisen, kreativen traditionellen und gebackenen Vorspeisen.

Bei der Zusammenstellung dieses Buches habe ich mich bemüht, viele zusätzliche Tips, Geschmacksrichtungen und Varianten zu berücksichtigen, die für die Zubereitung eigener phantasievoller Gerichte eine gute Stütze sein werden.

Die Rezepturen sind zum Großteil für vier Personen ausgerichtet, von mir persönlich mehrfach geprüft, nach eigenen Überlegungen zusammengestellt und direkt aus der Praxis in die Theorie umgewandelt, daher unkompliziert, leicht begreifbar und für jedermann erfolgreich nachzukochen, wobei ich mich an folgendes Grundprinzip halte: Schon beim Einkauf ist darauf zu achten, die frischeste Ware – ob Fleisch, Fisch, Gemüse oder Kräuter der jeweiligen Jahreszeit – von bester Qualität auf nicht zuviel Vorrat zu erwerben und diese ebenso fachgerecht zu lagern.

Ich hoffe, daß mir mit diesem Bildband »Vorspeisen aus Südtirol«, der nicht nur auf Südtiroler Traditionen zurückgreift und wiederum mit viel Liebe und Sorgfalt zustande kam, ein weiterer Beitrag zur Südtiroler Eßkultur gelungen ist.

Der Benützer dieses neuen Buches lasse sich verführen und anregen vom Anblick der verlockenden Farbbilder; ich wünsche viel Freude und Erfolg beim Nachkochen der Rezepte!

Richard Ploner

Aldein, Herbst 1992

Brauner Kalbsfond

500 g Kalbsknochen
40 g Butter
1 Stück Lauch
1 Stück Sellerie
1 Karotte
1 kleine Zwiebel
$^1/_2$ Tomate
$^1/_8$ l Weißwein
1 Zweig Rosmarin und Salbei
1 l Wasser
Salz, Pfeffer aus der Mühle

Zubereitung

Die Knochen kleinhacken, das Gemüse kleinschneiden, in der Butter anbraten und im Rohr weiterbraten, bis sie schön braun sind. Die Kräuter beifügen, salzen, pfeffern und auf starker Flamme weiterrösten, mit dem Weißwein mehrmals löschen. Das Ganze erkalten lassen, mit dem Essig und kaltem Wasser aufgießen, aufkochen lassen, in einen Topf umgießen, ca. 1$^1/_2$ Stunden kochen lassen, erst durch ein Sieb und dann durch ein Tuch passieren, entfetten, eventuell abschmecken und weiterverwenden.

Mayonnaise

1 Ei
1 Teel. Senf
Salz, weißer Pfeffer
wenig Essig oder Zitronensaft
400 ml Öl

Zubereitung

Alle Zutaten ohne Öl im Mixer rühren, das Öl unter ständigem Rühren auf höchster Geschwindigkeitsstufe langsam nachgießen und zum Schluß mit wenig kochendem Wasser binden.

Auslegeteig

200 g Weizenmehl
100 g Butter
Wasser und Salz

Zubereitung

Die Zutaten in der Mehlvertiefung zu einem glatten Teig kneten und mit Frischhaltefolie zugedeckt mindestens eine Stunde ruhen lassen.

Kartoffelteig

500 g mehlige Kartoffeln
2 Eidotter
100 g Weizenmehl
30 g feiner Weizengrieß
1 Teel. cremige Butter
Salz, ein wenig geriebene Muskatnuß

Zubereitung

Die Kartoffeln waschen, samt der Schale kochen, heiß schälen und erkalten lassen.
Die Kartoffeln passieren, samt allen Zutaten zu einem glatten Teig verkneten und je nach Verwendung weiterverarbeiten.

Nudelteig

400 g Weizenmehl
4 Eier
ein wenig Öl
Salz, Wasser

Zubereitung

Das Mehl auf eine saubere Arbeitsfläche geben, in die Mitte eine Vertiefung drücken, die Zutaten beifügen und alles zu einem geschmeidigen, glatten Teig kneten und zugedeckt etwas ruhen lassen.

Brandteig

1/4 l Wasser oder Milch
30 g Butter
160 g Mehl
4 Eier,
Salz
ein wenig geriebene Muskatnuß

Zubereitung

Für im Fett gebackene Speisen nimmt man Milch, ansonsten nimmt man Wasser.
Die Milch oder das Wasser mit der Butter, Salz und Muskat aufkochen lassen, etwas abkühlen lassen, das Mehl einrühren und auf leichtem Feuer mit einem Kochlöffel etwa fünf Minuten rühren.
Die Masse kurz abkühlen lassen und unter ständigem Rühren die Eier einzeln unterrühren.

Palatschinkenteig

100 g Weizenmehl
1/4 l Milch
2 Eier
Salz
Öl zum Backen
4–5 Palatschinken

Zubereitung

Das Weizenmehl mit der Milch glattrühren, Salz und Eier beifügen und leicht unterrühren.
Aus dem Teig nicht zu dicke Palatschinken backen und weiterverwenden.

Blätterteig

300 g Weizenmehl
10 cl Wasser
1 Eidotter
Salz
350 g Butter
80 g Weizenmehl

Zubereitung

Aus Mehl, Wasser, Eidotter und Salz einen glatten Teig kneten, zu einer Kugel formen, kreuzförmig einschneiden und mit Klarsichtfolie zugedeckt ruhen lassen.

Die Butter und das Mehl auch verkneten, zu einem Ziegel formen und im Kühlschrank ruhen lassen.

Den Mehlteig auf einer bemehlten Arbeitsfläche von der Mitte her zu einem Kreuz ausrollen, den Butterziegel in der Mitte platzieren, zusammenfalten und kühl stellen.

Den Teig zu einem Rechteck ausrollen, auf beiden Seiten je ein Drittel zur Mitte hin zusammenfalten, um 90 Grad drehen, wieder zu einem Rechteck ausrollen, gleich zusammenfalten und kühl stellen.

Den Teig wieder zu einem Rechteck ausrollen, von beiden Enden zur Mitte hin zusammenfalten und wieder kühl stellen (der Teig besteht aus vier Schichten).

Den Vorgang mit erneuter Drehung um 90 Grad mit einfacher und doppelter Tour (zweimal) mit ca. 30 Minuten Pause wiederholen, vor Gebrauch gut durchkühlen lassen und weiterverwenden.

Crêpes

50 g Weizenmehl
ca. 1/8 l Milch
2 Eier
20 g Olivenöl
Salz

4 Portionen

4 Crêpes bei einer Pfanne von ca. 20 cm Durchmesser
2 Crêpes bei einer Pfanne von ca. 40 cm Durchmesser

Zubereitung

Das Mehl in eine Schüssel geben, mit der Milch glattrühren, die Eier, Milch, Salz und Olivenöl beifügen, gut verrühren und etwas stehenlassen.

Eine Pfanne, die Sie nur für Omeletten, Palatschinken und Crêpes verwenden, mit wenig Öl gut heiß werden lassen, das Öl abgießen und ohne weiteres Fett in die Pfanne zu geben die Crêpes backen, übereinanderschichten und weiterverwenden.

Meine Tips

Bei Crêpes ist schon Fett im Teig, so daß Sie nach dem ersten Einfetten beim Backen kein Fett mehr brauchen. Es genügt eine heiße Pfanne, mit der Voraussetzung, diese nur zum Backen von Pfannkuchen usw. zu verwenden.

Gutes Pflanzenöl als Alternative zum Olivenöl verwenden.

Crêpes immer so dünn wie möglich backen.

Der Teig soll gut dünnflüssig sein.

Heller Geflügelfond

1 kg Geflügelkarkassen
40 g Butter
1 Stück Lauch
1 Stück Sellerie
1 Karotte
1 Zwiebel
1 1/2 l Wasser
Salz

Zubereitung

Die Karkassen kleinhacken, das Gemüse kleinschneiden und in der Butter anschwitzen, ohne Farbe nehmen zu lassen, gut erkalten lassen, mit kaltem Wasser aufgießen, drei Stunden bei geringer Hitze kochen lassen, durch ein Tuch passieren, abfetten und weiterverwenden.

Brauner Wachtelfond

500 g Wachtelkarkassen
1 Eßl. Öl
1 Stück Zwiebel
1 Stück Sellerie
1 Stück Tomate
1 kleiner Zweig Thymian, Rosmarin
10 Wacholderbeeren
ein wenig Petersilienstengel
1/8 l Rotwein
1 Eßl. Butter
1 l Wasser
Salz, Pfeffer aus der Mühle

Zubereitung

Die Karkassen zerkleinern, in einer Bratpfanne in Öl anbraten und im Rohr braten, bis sie schön braun sind. Das Gemüse in grobe Würfel schneiden, Kräuter, Salz, Pfeffer und Butter beifügen, bei starker Hitze weiterrösten, mit dem Rotwein mehrmals löschen. Das Ganze gut auskühlen lassen, mit kaltem Wasser aufgießen, aufkochen lassen, in einen Topf umgießen, ca. 1 1/2 Stunden kochen lassen. Erst durch ein Sieb und dann durch ein Tuch passieren, entfetten, eventuell abschmecken und weiterverwenden.

Fischfond

1 kg Fischgräten von Seezunge, Steinbutt, Lachs oder je nach Verwendungsart des Fonds Scheren von Scampi usw.
1 Zwiebel
1 Stange Sellerie
1 Stück Weißes vom Lauch
1 Eßl. Butter
Petersilienstengel
2 cl trockener Weißwein
Saft einer halben Zitrone
1 l Wasser

Zubereitung

Die Gräten mindestens drei Stunden oder über Nacht in reichlich Wasser wässern, absieben, nochmals waschen, zerkleinern und mit dem geputzten, gewaschenen, zerkleinerten Gemüse in der Butter anschwitzen, ohne Farbe nehmen zu lassen, den Weißwein, Zitronensaft und Wasser beifügen, zum Kochen bringen, zwanzig Minuten langsam kochen lassen und eventuell abschäumen, den Fond durch ein Tuch passieren und weiterverwenden.

Kalbskopf mit Walnuß-Kräutersoße

1/2 Kalbskopf
1 Kalbszunge
1 Zwiebel
1 Karotte
ein wenig Selleriegrün
Pfefferkörner, 3 Lorbeerblätter
Salz, ein wenig Essig

Soße:
4 Zweige Petersilie, 1 kleine eingelegte Essiggurke
ein wenig geschälte Zwiebel, 1 EBl. geschälte Walnüsse
1 Mokkalöffel Senf, Salz, Pfeffer aus der Mühle
1 EBl. Rotweinessig, 3 EBl. Olivenöl

Garnitur:
feiner Frisée, halbierte Walnüsse
Tomatenkirschen

6–8 Portionen

Zubereitung

Für die Soße alle Zutaten fein hacken oder durch die feine Scheibe des Fleischwolfes drehen, salzen, pfeffern, mit dem Essig verrühren, den Senf beifügen und mit dem Olivenöl zu einer cremigen Soße rühren.
Den Kalbskopf wässern samt den Zutaten und Zunge ca. drei Stunden weich kochen. Die Zunge nach ca. zwei Stunden aus dem Sud nehmen und enthäuten.
Den Kalbskopf vom Knochen lösen, das Fett und Knorpel sauber entfernen, die Zunge in die Mitte des Kalbskopfes legen, in einem Tuch einrollen, festbinden und erkalten lassen.

Anrichten

Den Kalbskopf in Scheiben schneiden, in Fleischbrühe leicht erwärmen, auf Tellern plazieren, mit der Soße, Salat, Tomatenkirschen und Walnüssen garnieren und servieren.

Meine Tips

Sie können den Kalbskopf auch frisch, ohne zu pressen, servieren.

Panierter Kalbskopf

Sie können den Kalbskopf auch pressen, indem Sie ihn in einen Behälter geben, einen Deckel darauflegen und mit einem Gegenstand beschwert im Kühlschrank erkalten lassen.

Saurer Kalbskopf, mit Zwiebelringen, Salz, Pfeffer, Essig und Öl angerichtet.

Elegant wirkt der Kalbskopf in einer halbrunden Terrinenform gepreßt.

Buchelen-Terrine

100 g sehnenfreies Kalbfleisch
30 g Eiweiß, 50 g Sahne
50 g geschlagene Sahne
50 g Crème fraîche, 20 g Butter
1 EBl. feingeschnittene Zwiebel
600 g Buchelen geputzt und gewaschen
Salz, Pfeffer aus der Mühle

Garnitur:
Rucola, Lollo Rosso und feiner Frisée, Sherrydressing
(siehe Mousse von Gorgonzola)

5–6 Portionen

Zubereitung

Eine Terrinenform mit Klarsichtfolie auslegen.
Die Zwiebeln in der Butter anschwitzen, die Buchelen in gleich große Stücke schneiden, beifügen, dünsten, bis sie trocken sind, salzen, pfeffern und gut erkalten lassen.

Buchelen-Terrine

Das Kalbfleisch durch die feine Scheibe des Fleischwolfes drehen, im Gefrierfach leicht anfrieren lassen, vorsichtig salzen, mit dem Eiweiß und Sahne im Mixer zu einer feinen Farce aufmontieren, die geschlagene Sahne, Crème fraîche und Buchelen beifügen und unterheben.

Die Masse in die vorbereitete Form einfüllen, mit Klarsichtfolie gut bedecken und im Wasserbad oder im Dämpfer bei 80 Grad ca. 30 Minuten pochieren oder dämpfen.

Anrichten

Die leicht abgekühlte Terrine stürzen, die Folie entfernen, in Scheiben schneiden, auf Tellern je zwei Scheiben plazieren, mit dem Salat garnieren, mit dem Dressing beträufeln und servieren.

Meine Tips

Am besten schneiden Sie die Terrine mit dem Elektromesser.

Steinpilze, Pfifferlinge oder Reizker sind eine gelungene und zugleich empfehlenswerte Alternative.

Stellen Sie die Sahne auch kurz ins Gefriergerät.

Buchelen sind sehr geschmackvoll und daher ausgezeichnet in Essigmarinade (siehe wie Steinpilze auf Auberginen).

Carpaccio vom Rinderfilet

360 g pariertes Rinderfilet
100 g Parmesankäse
1 Eßl. grüne Pfefferkörner
2 Zitronen
Olivenöl
Salz, Pfeffer aus der Mühle

4 Portionen

Garnitur:
Petersilie
4 rohe Champignons

Zubereitung

Das Filet mit der Aufschnittmaschine in sehr dünne Scheiben schneiden und auf kalten Tellern gleichmäßig verteilen, den Parmesankäse mit dem Trüffelhobel hobeln oder mit einem Messer in feine Blättchen schneiden und die Zitronen halbieren.

Anrichten

Den Parmesankäse auf den vorbereiteten Tellern plazieren, mit der Zitrone, Pfefferkörnern, Petersilie und Champignons garnieren und mit Olivenöl, Salz und Pfeffer aus der Mühle servieren.

Meine Tips

Verwenden Sie nur Frischfleisch, kein tiefgefrorenes Filet, vergewissern Sie sich, ob das Fleisch vom Tierarzt geprüft ist, denn auch rohes Rindfleisch kann ein Keimträger sein.

Das Fleisch läßt sich feiner schneiden, wenn Sie während des Schneidens ein wenig kaltes Wasser über das Rad der Aufschnittmaschine träufeln.

Carpaccio vom Rinderfilet

Verfügen Sie über keine Aufschnittmaschine, so schneiden Sie das Fleisch mit einem scharfen Messer, so dünn es geht, und klopfen es zwischen zwei Klarsichtfolien mit einem Messer aus.

Um dem Fleisch mehr Geschmack zu geben, können Sie es einige Tage zuvor in einer würzigen Ölmarinade im Kühlschrank bei mindestens null Grad marinieren.

Mousse von Gorgonzola

80 g Quark
80 g Gorgonzola (mild)
1 Blatt Gelatine
15 g geschälte gehackte Haselnüsse
100 g geschlagene Sahne

Dressing:
3 EBl. Olivenöl
1 EBl. Sherryessig
Salz, Pfeffer aus der Mühle

Garnitur: 100 g Salatherzen

4 Portionen

Zubereitung

Eine Terrinenform mit Klarsichtfolie auslegen.
Die Salatherzen waschen und trockenschleudern.
Die Gelatine in kaltes Wasser legen und weichen lassen.
Den Quark mit dem Gorgonzola zu einer feinen Creme mixen, die Gelatine auf leichtem Feuer schmelzen, unter die Creme rühren, die Haselnüsse beifügen und die geschlagene Sahne unterheben. Die Masse in die vorbereitete Form einfüllen, mit Klarsichtfolie zudecken und kalt stellen.

Anrichten

Die Terrine stürzen, die Klarsichtfolie entfernen, mit einem in heißes Wasser getauchten Messer in Scheiben schneiden, auf kalten Tellern plazieren, mit dem Salat garnieren, mit dem Dressing beträufeln und servieren.

Meine Tips

Ist der Käse zu mild, mit etwas Salz, Pfeffer aus der Mühle nachwürzen.

Anstelle der Haselnüsse Walnüsse.

Besonders fein mit frischen Kräutern.

Alternative mit beliebigem Weichkäse.

Räucherlachsparfait

250 g Räucherlachs
1/8 l Bechamelsoße, 1/8 l Sahne
1 Teel. Zitronensaft
4 Blatt weiße Gelatine, 1/4 l geschlagene Sahne

Garnitur: Frühlingssalat mit Sherrydressing

4 Portionen

Zubereitung

Die Gelatine in kaltes Wasser legen und weichen lassen.
Den Lachs enthäuten, die graue Außenschicht wegschneiden, in grobe Würfel schneiden und mit dem Zitronensaft marinieren.
Die Béchamelsoße mit der Sahne aufkochen lassen, die Gelatine beifügen und samt dem Räucherlachs im Mixer pürieren. Die Masse unter öfterem Umrühren völlig erkalten lassen, die geschlagene Sahne unterheben, in eine mit

Mousse von Gorgonzola

Klarsichtfolie ausgelegte Terrinenform einfüllen, mit Klarsicht-folie zudecken und kalt stellen.

Anrichten

Das Parfait stürzen, die Folie entfernen, in Scheiben schneiden und auf kalten Tellern plazieren, mit dem Salat garnieren, mit dem Dressing beträufeln und servieren.

Meine Tips

Räucherforelle ist eine schmackhafte Alternative.

Die Masse in der Schüssel erkalten lassen und mit einem immer wieder in warmes Wasser getauchten Löffel Nocken abstechen.

Mit einem Eisportionierer gleich große Kugeln abstechen, rund formen, in gehackten Pistazien wälzen und als Räucher-lachspralinen servieren.

Feiner wird die Masse, indem sie durch ein Haarsieb passiert wird.

Rosa gebratene Entenbrust auf Salatherzen

2 Entenbrüste zu 200 g
Gewürzsalz
200 g Salatherzen:
feiner Frisée, Lollo Rosso, Blattsalat

Dressing:
8 Eßl. Maisöl, 2 Eßl. Himbeeressig
1 Eßl. Weinessig, Salz, Pfeffer aus der Mühle

Garnitur:
8 Haselnüsse in Blättchen geschnitten
4 Tomatenkirschen in Scheiben geschnitten

4 Portionen

Zubereitung

Die Salate waschen und trockenschleudern.
Die Entenbrüste würzen, auf der Innenseite mehlieren, auf der Fettseite mit dem Spieß oder Zahnstocher öfters einstechen und mit der mehlierten Seite auf den Grill legen kurz anbraten, wenden und unter öfterem Wenden ca 10 Minuten grillieren. Die Entenbrüste mit Folie zugedeckt im Ofen bei 100 Grad ruhen lassen.
Das Salz im Essig auflösen, das Öl beifügen und alles gut durchrühren.

Anrichten

Die Salate auf den Tellern verteilen, mit den Tomatenschei-ben und Nüssen garnieren, die Entenbrüste in zwölf Scheiben schneiden und auf den Tellern plazieren, die Salate mit dem Dressing beträufeln und servieren.

Meine Tips

Verwenden Sie nur frische und gesunde, geprüfte Entenbrü-ste, denn sie sind, wie anderes Geflügel, Keimträger von Salmonellen, ansonsten immer ganz durchbraten.

Den Friséesalat wie Wintersalate in lauwarmes Wasser legen

Sie können auch andere Salatherzen der Saison verwenden

Die Entenbrust schräg schneiden, den eventuell ausgetretene Fleischsaft darauf verteilen.

Die Entenbrüste während der Ruhezeit mehrmals wenden

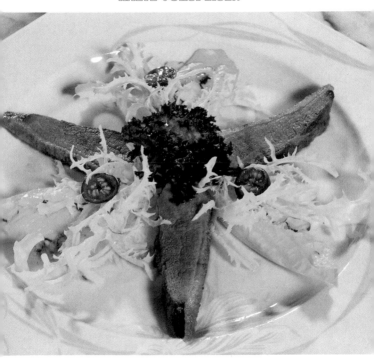

Rosa gebratene Entenbrust

Kalbszüngerl mit Zucchini

1 Kalbszunge

Sud:
2 l Wasser
1 Zwiebel
2 Lorbeerblätter
1 Stück Sellerie
1 Teel. Pfefferkörner
Salz

2 kleine Zucchini
2 Eßl. Olivenöl
Salz

Dressing:
6 Eßl. Olivenöl
2 Eßl. Sherryessig
Salz, Pfeffer aus der Mühle

4 Portionen

Garnitur:
Tomatenwürfel
Basilikumblätter

Zubereitung

Für den Sud alle Zutaten aufkochen lassen und die Zunge darin ca. eine Stunde kochen lassen, kalt abschrecken, die Haut abziehen und im Sud leicht abkühlen lassen.
Die Zucchini waschen, die Enden wegschneiden, der Länge nach in feine Blätter schneiden und im Olivenöl kurz auf beiden Seiten knackig braten und würzen.
Für das Dressing: Das Salz im Essig auflösen und mit den übrigen Zutaten gut durchrühren.

Anrichten

Die Zunge in fast 1 cm dicke Scheiben schneiden, auf vorgewärmten Tellern mit den Zucchinischeiben anrichten,

mit Tomatenwürfeln und Basilikum garnieren, mit der Dressing beträufeln und servieren.

Meine Tips

Das Dressing schütteln Sie am besten in einer leere Essigflasche sehr gut durch, es wird cremiger und läßt sic gleichmäßiger verteilen.

Fein wirkt wenig gehacktes Basilikum unter dem Dressing.

Die Zunge immer warm servieren.

Sie können anstelle der frischen Zunge auch Pökelzung verwenden.

Rehrückenfilet auf Wintersalat mit Steinpilzdressing

200 g Salate:
Feiner Frisée, Radicchio, Endivie (Brüsseler)
eingelegte Steinpilze (siehe Steinpilze mit Auberginen)
1 Rehrückenstrang von 250 g
Salz, Pfeffer, Öl zum Braten

Dressing:
1 Teel. feingemixte Trockenpilze, 1 Eßl. Sherryessig
Salz, Pfeffer aus der Mühle, 4 Eßl. Olivenöl

4 Portionen

Zubereitung

Die Salate lauwarm einweichen, waschen und leicht trocke schleudern.
Das Rehrückenfilet salzen, pfeffern und im heißen Öl a beiden Seiten rosig braten, in Stanniolpapier einmachen un ruhen lassen.

Kalbszüngerl mit Zucchini

Etwa 100 g Trockenpilze im Mixer zu einem feinen Pulver mixen, 1 Teel. Pulver samt Salz und Pfeffer im Essig auflösen und mit dem Olivenöl zu einem cremigen Dressing rühren.

Anrichten

Die Salate auf Tellern anrichten, mit dem Dressing beträufeln, das Rehfilet in Scheiben schneiden, je drei darauf plazieren, mit den Steinpilzen garnieren und servieren.

Meine Tips

Gelungene Alternative mit ausgelösten, enthäuteten, gebratenen Taubenbrüstchen.

Das gemixte Steinpilzpulver hält an einem trockenen Ort, gut verschlossen aufbewahrt, bis zu einem Jahr.

Tausendblätter von Spargeln mit Räucherlachsmousse

Räucherlachsmousse (siehe Räucherlachsparfait)
12 weiße Spargeln, 12 grüne Spargeln

Dressing: 1 EßI. Sherryessig, Salz, 3 EßI. Olivenöl

Garnitur: 2 Tomaten

4 Portionen

Zubereitung

Für das Dressing alle Zutaten sehr gut verrühren.
Die Räucherlachsmousse wie Räucherlachsparfait zubereiten und in der Schüssel mit Klarsichtfolie zugedeckt kalt stellen.
Die weißen Spargeln vom Kopf her schälen, hinten ca. 2 cm und die Spitzen wegschneiden, so daß Stangen von 10 cm Länge übrigbleiben. Bei den grünen Spargeln die Spitzen

wegschneiden und vom Spitz weg 10 cm ohne zu schälen verwenden und samt den weißen gut waschen.
Die Spargeln mit dem Spargelschäler oder der Aufschnittma schine der Länge nach in dünne Scheiben schneiden, darau abwechselnd mit Grün und Weiß Quadrate flechten, die Si mit dem Dressing bepinseln und mit Klarsichtfolie dazwischer übereinanderschichten.
Die Tomaten mit dem Kartoffelschäler abschälen und darau vier kleine Röschen formen.
Vier grüne Spargelspitzen in Salzwasser mit wenig Zucke und Butter knackig kochen, halbieren und in dem Dressing marinieren.

Anrichten

Die Spargelquadrate auf Tellern plazieren, mit einem imme in heißes Wasser getauchten Mokkalöffel (nicht Teelöffel) fü jede Schicht je fünf Nockerln abstechen, den Vorgan wiederholen, das letzte Quadrat daraufsetzen, mit einer halbierten Nockerl, den Spargelspitzen und Röschen garnie ren und servieren.

Meine Tips

Die gesunden Spargelabschnitte für Risotto oder Cremesup pe verwenden.

Alternative für die Mousse, mit Räucherforelle.

Tausendblätter von Spargeln

Pfifferlingcremesuppe

300 g Pfifferlinge geputzt, 40 g Butter
1 Eßl. feingeschnittene Zwiebel mit 1 Knoblauchzehe
$^1/_{16}$ l trockenen Weißwein
$^1/_2$ l heller Geflügelfond
Salz, Pfeffer aus der Mühle
1 Teel. kalte Butter, $^1/_8$ l geschlagene Sahne
feingeschnittener Schnittlauch

4–5 Portionen

Zubereitung

Die Pfifferlinge waschen, leicht zerkleinern, die Zwiebel in der Butter anschwitzen, Pfifferlinge beifügen, kurz dünsten, mit Weißwein löschen, den Geflügelfond aufgießen, gut aufkochen lassen, salzen, pfeffern, im Mixer mit der Butter pürieren, nochmals erhitzen, die geschlagene Sahne unterheben, in vorgewärmte Teller oder Tassen füllen, mit Schnittlauch leicht bestreuen und servieren.

Mein Tip

Gelungene Alternative mit Steinpilzen, Champignons oder Austernpilzen.

Feine Kräuterschnittensuppe

1 l Rindfleischbrühe, 50 g sehnenfreies Kalbfleisch
50 g Sahne
1 Eßl. grobgehackte Kräuter
(Estragon, Petersilie, Schnittlauch, Basilikum, Thymian),
Salz, Pfeffer aus der Mühle
4 Scheiben Toastbrot
feingeschnittener Schnittlauch

4 Portionen

Zubereitung

Das Kalbfleisch durch die feine Scheibe des Fleischwolfes drehen, im Tiefkühlgerät leicht anfrieren lassen, mit der gut gekühlten Sahne, Kräutern, Salz und Pfeffer im Mixer zu einer cremigen Farce aufmontieren.
Eine Scheibe Toastbrot mit der Farce bestreichen, eine andere Scheibe daraufsetzen, wieder bestreichen, auf ein Backblech legen, den Vorgang wiederholen und im vorgeheizten Rohr bei 180 Grad ca. 15 Minuten backen.

Anrichten

Die Kräuterschnitten halbieren, in Streifen schneiden und in der heißen Fleischbrühe mit Schnittlauch servieren.

Meine Tips

Feine Nudelroulade: Rechteck von 20 x 10 cm ausgerolltem gekochten Nudelteig mit der Farce bestreichen, aufrollen, in Klarsichtfolie einmachen, im Wasser pochieren, in Scheiben schneiden und in Fleisch- oder Kraftbrühe servieren.

Oder zwei kleine Nudelröllchen.
Sie können Kräuter nach Ihrem Geschmack verwenden.

Kartoffelkressesüppchen

10 g feingeschnittene Zwiebel
ein wenig Butter
300 g frisch gekochte Pellkartoffeln
400 ml Kalbsfond
25 g Gartenkresse (1 Schale)
4 Eßl. geschlagene Sahne
Salz, Pfeffer aus der Mühle

Garnitur: Gartenkresse

4 Portionen

Kartoffelkressesüppchen

Zubereitung

Die Zwiebel in der Butter anschwitzen, die geschälten, in Stücke geschnittenen Pellkartoffeln, Kalbsfond und Kresse beifügen, aufkochen, salzen und pfeffern, mit dem Stabmixer gut pürieren, die Sahne unterrühren, in vorgewärmte Tassen füllen, mit Kresse garnieren und servieren.

Meine Tips

Bachkresse anstelle der Gartenkresse.

Sauerampfer ist eine gelungene Alternative für Kresse.

Sie können die Suppe auch im Mixer pürieren.

Rindfleischbrühe (Bouillon)

3 l Wasser
1 kg Rinderknochen
200–300 g Rindfleisch
1 Karotte
1 Stück Lauch, 1/2 Zwiebel samt Schale
1 Stück Sellerie
Petersilienstengel
Salz

Zubereitung

Die zerkleinerten Rinderknochen im eisig kalten Wasser auf kleiner Flamme langsam zum Kochen bringen. Das Rindfleisch beifügen und immer bei geringer Hitze langsam weiterkochen. Das Gemüse nach ca. einer Stunde beifügen, zwei Stunden weiterkochen, salzen, etwas stehenlassen, durch ein Tuch passieren, erkalten lassen, die dabei entstandene Fettschicht entfernen und weiterverwenden.

Grünkernsuppe

60 g Grünkernschrot (mittel), 500 ml heller Kalbsfond
ein wenig geriebelter Brotklee, Salz, Pfeffer aus der Mühle
4 Eßl. geschlagene Sahne

Garnitur: Haselnußbrotcroutons

4 Portionen

Zubereitung

Für die Croutons das Haselnußbrot in Würfel schneiden und in einer heißen Pfanne ohne Fett goldig rösten.
Den Grünkernschrot in den kalten Kalbsfond einrühren, unter öfterem Rühren zum Kochen bringen, 15 Minuten langsam kochen lassen, Brotklee beifügen, salzen und pfeffern, die geschlagene Sahne unterrühren, in vorgewärmte Tassen füllen, mit den Croutons garnieren und servieren.

Mein Tip

Sechsgetreidesuppe: Grünkern, Hafer, Gerste, Buchweizen, Roggen und Weizenschrot vermischen und gleich zubereiten.

Kürbisrahmsuppe

500 g Speisekürbis entkernt, geschält
100 g Créme fraîche, 100 g Sahne
300 ml heller oder brauner Geflügelfond
Salz, Pfeffer aus der Mühle
2 Eßl. geschlagene Sahne

Garnitur:
gerüstete Haselnußbrotwürfel (siehe Grünkernsuppe)

4–5 Portionen

Grünkernsuppe

Zubereitung

Den Kürbis in Würfel schneiden, in Salzwasser blanchieren und im Rohr bei 170 Grad zehn Minuten ausdämpfen. Crème fraîche, Sahne und Geflügelfond vermischen, zum Kochen bringen, den Kürbis beifügen, salzen, pfeffern, aufkochen, im Mixer pürieren und nochmals erhitzen.

Anrichten

Die Suppe in vorgewärmte Tassen füllen, mit je einem Tupfen geschlagener Sahne und den Haselnußbrotwürfeln garnieren und servieren.

Meine Tips

2 cl Weißwein und eine Messerspitze Zimt beifügen.

Feiner wird die Suppe, wenn Sie sie durch ein Haarsieb passieren.

Zwiebelsuppe

200 g in feine Ringe geschnittene Zwiebel
40 g Butter
1 Mokkalöffel Paprika süß
1/8 l Rotwein
1 l heller Kalbsfond
Salz, Pfeffer aus der Mühle, 1 Lorbeerblatt
1 Mokkalöffel Speisestärke, geriebener Parmesankäse

4–5 Portionen

Zubereitung

Die Zwiebel in der Butter unter öfterem Wenden gut goldig rösten, paprizieren, mit dem Rotwein löschen, mit dem Kalbsfond aufgießen, das Lorbeerblatt beifügen, zwanzig

Minuten leicht kochen lassen, salzen und pfeffern, die Speisestärke in wenig kaltem Wasser auflösen, die Suppe damit binden und kurz ziehen lassen.

Anrichten

Die Suppe in vorgewärmte Tassen füllen, mit dem Parmesankäse bestreuen, unter dem Salamander oder im Rohr nur bei Oberhitze überbacken und servieren.

Meine Tips

Getoastete Weißbrotscheiben und mit Parmesankäse bestreut überbacken.

Sie können die Suppe auch ohne zu überbacken servieren.

Meine Brotsuppe

1 Teel. Butter
200 g hartes Brot (Leinsamen-, Kümmel-, Sauerteigbrot)
900 ml heller Kalbsfond, wenig gerebelter Brotklee
4 Eßl. geschlagene Sahne, ein wenig Salz

Garnitur:
gerösteter Sesam
feingeschnittener Schnittlauch

4–5 Portionen

Zubereitung

Das Brot in Stücke brechen, in der Butter anrösten, wenig Brotklee und den Kalbsfond beifügen, zehn Minuten langsam kochen lassen, eventuell salzen, mit dem Stabmixer pürieren, die Sahne unterrühren, in vorgewärmte Teller oder Tassen füllen, mit Sesam und Schnittlauch bestreuen und servieren.

Meine Brotsuppe

Makkaroni »Chef«

250 g Makkaroni
1 Teel. Butter
50 g gekochter Schinken, 80 g frische Champignons
150 g Tomatensoße
2 Artischockenherzen in Öl
1 Mokkalöffel feingeschnittener Origano
80 g Sahne
Salz, Pfeffer aus der Mühle

4–5 Portionen

Zubereitung

Den Schinken mit der Aufschnittmaschine in Scheiben und mit dem Messer in kleine Quadrate schneiden, die Champignons putzen, waschen und in Blättchen schneiden, in der Butter anschwitzen, die Tomatensoße beifügen und erhitzen.
Die in reichlich Salzwasser gekochten Makkaroni absieben, in die Soße geben, die in Achtel geschnittenen Artischockenherzen, Origano, Sahne, eventuell Salz und Pfeffer beifügen, erhitzen, gut durchschwenken, in vorgewärmten Tellern anrichten und servieren.

Orecchiette in pikanter Soße

250 g Orecchiette
20 g Olivenöl
2 Knoblauchzehen, 50 g pikante Salami
150 g Tomatensoße
50 g geschlagene Sahne
1 Teel. gehackte Petersilie

4 Portionen

Zubereitung

Die Knoblauchzehen schälen, durch die Knoblauchpresse drücken, im Olivenöl samt der in feine Streifen geschnittenen Salami kurz anschwitzen, die Tomatensoße beifügen und erhitzen. Die in reichlich Salzwasser gekochten Orecchiette absieben, in die Soße geben, Petersilie und geschlagene Sahne beifügen, gut durchschwenken, in vorgewärmten Tellern anrichten und servieren.

Mein Tip

Alternative der scharfen Salami sind ungarische Salami und Peperoncino.

Lasagnette mit Spargeln

Nudelteig von 200 g Weizenmehl
10 grüne Spargelspitzen
Spargelfülle (siehe Variation von der Wachtel)
20 mittlere Morcheln, Butter zum Braten, Salz

5 Portionen

Zubereitung

Den Nudelteig wie im Grundrezept zubereiten.
Die grünen Spargelspitzen in Salzwasser kurz blanchieren kalt abschrecken, auf einem Tuch zum Trocknen ausleger und mit dem Spargelschäler der Länge nach in dünne Scheiben schneiden.
Die Spargelfülle wie bei Variation von der Wachtel zubereiten.
Den Nudelteig mit der Nudelmaschine oder auf eine bemehlten Arbeitsfläche zu einem Streifen in beliebiger Länge und einer Breite von 5 cm ausrollen, mit den dünnen Scheiben Spargeln einmal der Länge nach belegen, nochmals ausrollen

Lasagnette mit Spargeln

mit einem runden Ausstecher zwanzig Stück ausstechen und in Salzwasser kochen.

Die Morcheln putzen, waschen, trockenschleudern, in der Butter braten und salzen.

Anrichten

Je ein Nudelblatt auf vorgewärmten Tellern plazieren, mit dem Spargelragout belegen, den Vorgang zweimal wiederholen, mit einem Nudelblatt abschließen, mit den Morcheln und Spargelspitzen garnieren und servieren.

Meine Tips

Tausendblätter mit Spargeln: dünn ausgerollten Blätterteig backen, in Quadrate von ca. 5 cm schneiden und mit dem Spargelragout füllen.

Nudelteig mit feinen Kräutern.

Den übrigen oder vom ganzen Nudelteig Bandnudeln zubereiten und im Spargelragout schwenken.

Breite Bandnudeln mit Kaninchenrückenfilet

Nudelteig von 200 g Weizenmehl
³/4 l brauner Kaninchenfond
1 Teel. kalte Butter
1 kleiner Zucchino
4 Scheiben der Länge nach geschnittene Karotten
Olivenöl
2 Kaninchenrückenfilets
Salz, Pfeffer aus der Mühle
Butter zum Braten der Filets, gehackte Petersilie

4 Portionen

Zubereitung

Den Kaninchenfond in einer Schwenkpfanne um die Hälfte reduzieren und mit kalter Butter binden.

Den Zucchino waschen, der Länge nach in Scheiben schneiden, samt den Karotten in Olivenöl auf beiden Seiten anbraten, würzen und warm halten.

Die Kaninchenfilets würzen, in Butter rundum anbraten, ca fünf Minuten auf leichtem Feuer braten, in Stanniolpapier einmachen und warm stellen.

Den Nudelteig auf einer leicht bemehlten Arbeitsfläche oder besser mit der Nudelmaschine dünn ausrollen, mit dem Krapfenrad in zwei Zentimeter breite Nudeln trennen, in genügend kochendes Salzwasser legen, mit dem Kochlöffel umrühren, ca. 4–5 Minuten kochen und absieben.

Vom reduzierten Kaninchenfond ¹/8 l wegnehmen, warm stellen, die Nudeln samt Karotten und Zucchino in die Pfanne geben und gut durchschwenken.

Anrichten

Die Kaninchenrückenfilets der Länge nach in dünne Scheiben schneiden, die heißen Nudeln auf vorgewärmten Tellern anrichten, mit den Kaninchenfiletscheiben, Zucchini und Karotten garnieren, mit dem restlichen Kaninchenfond überziehen, mit Petersilie bestreuen und servieren.

Meine Tips

Alternative mit Rehrückenfilets und Wildfond oder Perlhuhr oder Entenbrust.

Die Kaninchenfilets sollen nicht zu lange gebraten werden, da sie sonst zu trocken werden.

Achten Sie darauf, daß die Karotten und Zucchini nicht zu weich werden.

Breite Bandnudeln mit Kaninchenrückenfilet

Bandnudeln mit Selchfleisch

Nudelteig von 400 g Mehl
1 EßI. Butter
200 g Selchfleisch
2 Eidotter
1/4 l geschlagene Sahne
feingeschnittener Schnittlauch

4–5 Portionen

Zubereitung

Für den Nudelteig alle Zutaten zu einem geschmeidigen Teig verkneten und kurz ruhenlassen.

Den Nudelteig auf einer bemehlten Arbeitsfläche mit dem Nudelroller so dünn als möglich zu einem Rechteck ausrollen, leicht mit Mehl bestäuben, zu einer Rolle aufrollen, mit einem scharfen Messer in 1/2 cm dicke Scheiben schneiden, vorsichtig auseinanderrollen und in genügend kochendes Salzwasser legen, mit einem Kochlöffel umrühren und ca. fünf Minuten kochen lassen.

In der Zwischenzeit das in feine Scheiben geschnittene Selchfleisch in einer Schwenkpfanne in Butter kurz anschwitzen, die abgesiebten Nudeln und die verquirlten Eidotter mit der Sahne beifügen und alles gut durchschwenken.

Anrichten

Die Nudeln in vorgewärmten Tellern verteilen, mit Schnittlauch bestreuen und servieren.

Meine Tips

Eine gelungene Alternative mit Schinkenspeck.
Einfacher ist die Zubereitung der Nudeln mit einer Nudelmaschine, auch als Haushaltsgerät erhältlich.
Bißfester bleiben die Nudeln, indem Sie 200 g Hartweizengrieß und 200 g Weizenmehl verwenden.
Sie können die Nudeln nur mit Butter und feingeschnittenem Selchfleisch schwenken.

Teigtaschen mit Spinatfülle in Nußsoße

Teig:
300 g Weizenmehl
Wasser und Weißwein, Salz

Fülle:
200 g Blattspinat
100 g Topfen
50 g gehackte Kräuter, Rosmarin, Basilikum, Petersilie
1 Pellkartoffel, 1 Knoblauchzehe
50 g geriebener Parmesankäse
1 Ei, Salz

Soße:
150 g geschälte Walnüsse
50 g Pignolien
Olivenöl, 50 g Topfen
20 g Semmelbrösel
Salz, Parmesankäse
etwas Milch
verquirltes Eiweiß zum Bestreichen

5–6 Portionen

Zubereitung

Für den Teig das Mehl mit lauwarmem Wasser, Weißwein und Salz zu einem geschmeidigen Teig kneten und etwas ruhenlassen.

Für die Fülle den Blattspinat putzen, waschen, in Salzwasser kurz blanchieren, in kaltem Wasser abschrecken, absieben, gut ausdrücken und samt den Kräutern und Kartoffel fein hacken oder durch die feine Scheibe des Fleischwolfes drehen und mit dem Topfen, Ei, Parmesan und Salz verrühren.

Für die Soße alle Zutaten im Mixer nicht zu fein mixen.

Den Teig auf einer bemehlten Arbeitsfläche oder mit der Nudelmaschine dünn zu einem Streifen von beliebiger Länge und einer Breite von ca. 10 cm ausrollen, eventuell mit einem Messer oder dem Krapfenrad zurechtschneiden.

Teigtaschen mit Spinatfülle

Die Fülle in einen Spritzsack mit runder Lochtülle einfüllen oder mit einem Teelöffel die Füllung in einem Abstand von ca. 3 cm auftragen, mit Eiweiß rundum bestreichen, zusammenklappen, dazwischen überall gut andrücken und mit dem Krapfenrad in Dreiecke schneiden.

Die Taschen in Salzwasser kochen, aus dem Wasser in die erhitzte Nußsoße geben, gut durchschwenken, auf vorgewärmten Tellern anrichten und servieren.

Meine Tips

Sie können die Teigtaschen auch mit einem runden Ausstecher ausstechen.

Alternative mit Nudelteig.

Schlutzkrapfen mit Topfen-Kräuter-Fülle

200 g Topfen
1 Eidotter
4 EßI. Semmelbrösel
1 EßI. gehackte Kräuter, Petersilie, Estragon, Kresse, Basilikum
Salz, Pfeffer aus der Mühle
verquirltes Eiweiß zum Bestreichen
4 EßI. braune Butter

Garnitur: gehobelter Parmesankäse, Gartenkresse

4 Portionen

Zubereitung

Für die Fülle alle Zutaten verrühren.

Den Teig auf einer bemehlten Arbeitsfläche oder mit der Nudelmaschine dünn zu einem Streifen von beliebiger Länge und einer Breite von ca. 8 cm ausrollen, mit einem Teelöffel die Füllung in einem Abstand von ca. 3 cm auftragen, mit

Eiweiß rundum bestreichen, zusammenklappen, dazwischen überall gut andrücken, mit einem runden Ausstecher Halbmonde ausstechen und an den Rändern andrücken.

Die Schlutzkrapfen in Salzwasser kochen, absieben, auf vorgewärmten Tellern anrichten, mit dem Parmesankäse und Kresse garnieren und servieren.

Meine Tips

Traditionell mit geriebenem Parmesankäse und brauner Butter abschmälzen.

Den restlichen Nudelteig zu Bandnudeln oder Fleckerl verarbeiten.

Schmetterlingsnudeln mit Rohschinken

250 g Schmetterlingsnudeln
4–6 Scheiben dünn geschnittener Rohschinken
ein wenig Butter
1 EßI. gekochte Erbsen
1 EßI. Karottenperlen
2 Eidotter, 1/4 l geschlagene Sahne
2 EßI. geriebener Parmesankäse
gemischter Pfeffer aus der Mühle

4 Portionen

Zubereitung

Die Nudeln in genügend kochendes Salzwasser geben, mit einem Kochlöffel umrühren und ca. acht Minuten bißfest kochen.

Den Rohschinken in Stücke reißen, in der Butter leicht anschwitzen, die Gemüseperlen beifügen, die inzwischen gegarten Nudeln absieben und beifügen.

Schmetterlingsnudeln mit Rohschinken

Die Eidotter mit der Sahne und Parmesankäse verrühren, über die Nudeln gießen und gut durchschwenken.

Anrichten

Die Nudeln auf vorgewärmten Tellern verteilen, mit Pfeffer aus der Mühle servieren.

Meine Tips

Es müssen nicht Schmetterlingsnudeln sein, Spaghetti oder Bandnudeln passen ebenfalls.

Wenn Sie die Eier gut verquirlen, können Sie auch das Eiweiß mitverwenden.

Eine Alternative mit Speck oder gekochtem Schinken.

Anstelle der Sahne können Sie auch Crème fraîche verwenden.

Feine Bandnudeln mit Steinpilzen

Nudelteig von 400 g Weizenmehl
400 g Steinpilze geputzt
1/2 durchgepreßte Knoblauchzehe, Butter, Salz
1 Eßl. feingeschnittener Schnittlauch
1/2 Eßl. Butter, Salz, Pfeffer aus der Mühle

5 Portionen

Zubereitung

Die Steinpilze in Scheiben schneiden, in einer Pfanne zugedeckt kurz dämpfen, absieben, den Saft aufheben und mit wenig Butter, Knoblauch und Salz in einer Grillpfanne goldig rösten.
Den Nudelteig auf einer leicht bemehlten Arbeitsfläche oder besser mit der Nudelmaschine so dünn als möglich ausrollen,

leicht mit Mehl bestäuben, zu einer Rolle aufrollen. Mit einem scharfen Messer in 3-4 mm dünne Scheiben schneiden, vorsichtig auseinanderrollen, in genügend kochendes Salzwasser legen, mit einem Kochlöffel gut umrühren und ca. drei bis fünf Minuten al dente kochen.
Den Schnittlauch in einer Schwenkpfanne mit der Butter leicht erhitzen, die Steinpilzscheiben, Nudeln und Saft von den Pilzen beifügen, mit Salz und Pfeffer würzen, gut durchschwenken und heiß servieren.

Spaghetti mit Tomaten, Topfen und Auberginen

250 g Spaghetti
5 cl Olivenöl
2 Knoblauchzehen
400 g Eiertomaten (Pelati), 1 Aubergine, Olivenöl
50 g Topfen, Salz, Pfeffer aus der Mühle

Garnitur: Basilikumblätter

4 Portionen

Zubereitung

Die gut reifen Tomaten kurz in kochendes Wasser legen, kalt abschrecken, schälen, entkernen und in Stücke brechen. Die Knoblauchzehen schälen, durch die Knoblauchpresse drücken, im Olivenöl leicht anschwitzen, die Tomaten beifügen und ca. 15 Minuten kochen lassen.
Die Auberginen samt Tomaten und Quark in eine Schwenkpfanne vermischen, salzen, pfeffern und kurz ziehen lassen. Die Spaghetti in reichlich Salzwasser bißfest kochen, absieben, in der Soße schwenken, in vorgewärmten Tellern anrichten, mit Basilikum garnieren und servieren.

Reistimbale mit Steinpilzcreme

Reistimbale mit Steinpilzcreme

200 g Reis
1 Teel. Butter
1 kleines Stück Zwiebel
4 cl Weißwein
Fleischsuppe
100 g Steinpilze geputzt mit 1 Teel. Butter
100 g Crème fraîche
1 Prise Zucker
Salz, Pfeffer aus der Mühle
4 Timbalförmchen

Garnitur:
Herzen von Chicorée in Butter
weiße oder schwarze Trüffel

4 Portionen

Zubereitung

Die Zwiebel in Butter anschwitzen, den Reis beifügen, glasig
werden lassen, mit Weißwein löschen und der gleichen Menge
wie Reis mit kochender, abgeschmeckter Fleischsuppe aufgießen und zugedeckt bei geringer Hitze ca. 20 Minuten
garen.
Die Steinpilze in Scheiben schneiden, in der Butter dünsten
und im Mixer zu einer feinen Creme blitzen.
Die Crème fraîche in einer Kasserolle zum Kochen bringen,
die Steinpilze beifügen und mit Zucker, Salz und Pfeffer
abschmecken.
Die Chicoréeherzen in Butter anbraten, salzen und zugedeckt
kurz ziehen lassen.

Anrichten

Den Reis mit einem Spieß auflockern und in mit Wasser
ausgespülten Timbalformen einfüllen, stürzen, auf vorgewärmten Tellern plazieren, mit der Steinpilzcreme zum Teil
überziehen, mit dem Chicorée und Trüffeln garnieren und
servieren.

Meine Tips

Elegant wirkt der Reis in Savarinförmchen.

Gegrillte Steinpilzscheiben sind eine gelungene Alternative a
Garnitur.

Nur mit der Steinpilzcreme sind kleine Timbale ein
gelungene Beilage für leichte Soßengerichte.

Hirsering mit Lammfilet

200 g Hirse, 50 g Butter
1 Eßl. feingehackte Zwiebel
2 cl Weißwein
1 l Fleischbrühe abgeschmeckt
2 Lammfilets, Olivenöl, Salz, Pfeffer aus der Mühle
1/8 l brauner Lammfond
4 Savarinförmchen mit etwas cremiger Butter ausstreicher

Garnitur:
gekochte Karottenstäbchen in Butter
Minzenblättchen

4 Portionen

Zubereitung

Die Zwiebel in Butter anschwitzen, Hirse beifügen, unte
ständigem Rühren kurz anrösten, ohne Farbe nehmen z
lassen, mit Weißwein löschen, mit der kochenden Fleisch
brühe aufgießen und zugedeckt auf leichter Hitze 25 Minute
köcheln lassen.
Das Lammfilet in Scheiben schneiden, in wenig Olivenöl a
beiden Seiten anbraten, würzen, den Lammfond beifügen un
darin ziehen lassen.
Die Hirse in die vorbereiteten Ringförmchen abfüllen un
warm stellen.

Hirsering mit Lammfilet

Anrichten

Die Hirseringe stürzen, auf vorgewärmten Tellern plazieren, die Lammfilets zum Teil einfüllen, mit Karottenstäbchen und Minze garnieren und servieren.

Risotto mit Parmesankäse

200 g Reis, 2 Eßl. Olivenöl
60 g feingeschnittene Zwiebel
4 cl Weißwein
³/₄ l Fleischbrühe (Suppe) abgeschmeckt
¹/₈ l Sahne, 100 g geriebener Parmesankäse

Garnitur: gehobelter Parmesankäse

4 Portionen

Zubereitung

Die Zwiebel mit dem Öl in einem flachen Topf leicht anschwitzen, den Reis beifügen, verrühren, mit Weißwein ablöschen, einen Teil Fleischbrühe beifügen, unter öfterem Umrühren kochen, die Sahne und die restliche Fleischbrühe beifügen, weiterkochen, zum Schluß den Parmesankäse unterrühren, mit dem Parmesankäse garnieren und servieren.

Meine Tips

Dieses Rezept ist die Grundlage für viele Varianten. Zum Beispiel:

Pilze mit der Zwiebel und Knoblauch anschwitzen und mit gehackter Petersilie oder Schnittlauch garnieren.

Mailänder Art, mit zwei Briefchen Safran.

Gorgonzola, würfelig geschnitten, zum Schluß beifügen.

Radicchio in Butter anschwitzen mit Rotwein löschen und zum Schluß etwas Rote-Bete-Saft beifügen, so erhält der Reis eine appetitliche natürliche Farbe.

In Würfel geschnittenes Fleisch mit Tomatenmark und der Zwiebel anschwitzen und mitkochen, nur zartes Fleisch verwenden.

Grüne und weiße Spargel schälen, blanchieren, in Würfel schneiden, die Spitzen zur Garnitur verwenden, anstelle der Fleischbrühe verwenden Sie den Spargelsud.

Frankfurter Würste in Blättchen schneiden, in Butter anrösten, zum Schluß unterrühren und mit gehackter Petersilie garnieren.

Meeresfrüchte

Hühnerleber

Gemüse

Achten Sie darauf, daß die Fleischbrühe nicht zu scharf ist.

Den Risotto immer mit dem Kochlöffel rühren.

Grünkernrisotto mit Steinpilzen

200 g Grünkern, 1 Teel. Butter
1 Eßl. feingeschnittene Zwiebel mit 1 Knoblauchzehe
160 g geputzte Steinpilze in Scheiben
4 cl Weißwein
ca. ¹/₂ l Fleischbrühe abgeschmeckt
¹/₈ l Sahne
¹/₂ Eßl. Weizenstärke, gehackte Petersilie

4 Portionen

Zubereitung

Den Grünkern über Nacht in Wasser einweichen.
Die Zwiebel mit Knoblauch in der Butter anschwitzen, die Steinpilze beifügen und kurz dünsten, den abgesiebten Grünkern unterrühren, mit Weißwein löschen, einen Teil

Grünkernrisotto mit Steinpilzen

Fleischbrühe beifügen, unter öfterem Umrühren kochen, die Sahne und nach Bedarf restliche Fleischbrühe dazugeben, weiterkochen, die in kaltem Wasser aufgelöste Weizenstärke unterrühren und in cremiger Konsistenz mit Petersilie bestreut servieren.

Meine Tips

Achten Sie darauf, daß die Fleischbrühe nicht zu scharf ist.

Alternative mit in feine Würfel geschnittenem Gemüse.

Ohne Steinpilze, mit Brotklee verfeinern.

Anstelle der Fleischbrühe können Sie auch das Wasser, in dem Sie die Körner einweichen, verwenden, wobei Sie die Körner mit einer Schaumkelle aus dem Wasser heben und einen Teil Wasser am Boden zurücklassen, denn es kann Sand darin sein.

Reisorangen

160 g Reis, 2 Briefchen Safran, 2 Eßl. Olivenöl
60 g feingeschnittene Zwiebel
4 cl Weißwein
3/4 l Fleischbrühe (Suppe) abgeschmeckt
1/8 l Sahne
30 g geriebener Parmesankäse
Mehl, 1 Ei, Semmelbrösel zum Panieren
12 Petersilienstengel zu ca. 3 cm, Öl zum Backen

Garnitur:
2 reife Tomaten, 8 Basilikumblätter
1 Eßl. Olivenöl, Salz
150 g frische Champignons, Saft einer halben Zitrone
1 Eßl. Olivenöl, Salz

4 Portionen

Zubereitung

Die Zwiebel mit dem Öl in einem flachen Topf leicht anschwitzen, den Reis und den Safran beifügen, verrühren, mit Weißwein ablöschen, einen Teil Fleischbrühe beifügen, unter öfterem Umrühren kochen, die Sahne und die restliche Fleischbrühe beifügen, weiterkochen, zum Schluß den Parmesankäse unterrühren und die Masse auf einer saubereren Arbeitsfläche auskühlen lassen. Aus der kalten Masse zwölf Kugeln formen, mehlieren, in Ei legen, in den Semmelbröseln wälzen und die Petersilienstengel einsetzen.
Die Tomaten kurz in kochendes Wasser heben, kalt abschrecken, schälen, entkernen, in Würfel schneiden, im Olivenöl schwenken, mit geschnittenem Basilikum und Salz würzen und zugedeckt kurz ziehen lassen.
Die Champignons putzen, waschen, in Blättchen schneiden, salzen, im Zitronensaft marinieren und in Olivenöl schwenken.

Anrichten

Die Orangen im heißen Öl fritieren und auf Küchenkrepp legen.
Die Tomaten und Champignons auf vorgewärmten Tellern verteilen, die Orangen in der Mitte plazieren, mit Basilikumblättern garnieren und servieren.

Meine Tips

Varianten siehe Risotto mit Parmesankäse.

Verfeinert werden die Orangen, indem man sie mit Käse, Schinken und etwas Origano füllt.

Anstelle von zwölf Orangen können Sie auch eine pro Person formen, die Sie in nicht zu heißem Fett langsam backen.

Reisorangen

Käsenockerln in Tomatencreme

2 Eier
60 g Butter
60 g Weizenmehl
60 g geriebener Parmesankäse
Salzwasser
4 EßI. Tomatensoße
4 EßI. geschlagene Sahne

Garnitur:
1/2 Zucchino und Tomate
ein wenig Olivenöl, Salz

4 Portionen

Zubereitung

Die Eier mit der Butter schaumig rühren, Mehl und Käse unterrühren und im Kühlschrank kurz ruhen lassen.
Mit einem Eßlöffel Nockerln formen, in leicht kochendes Salzwasser legen und zugedeckt ca. 20 Minuten langsam kochen lassen.
Die Tomate in kochendes Wasser heben, kalt abschrecken, schälen und entkernen, den Zucchino waschen und wie die Tomate in kleine Würfel schneiden, in Olivenöl anschwitzen und salzen.
Die Tomatensoße erhitzen und mit der Schlagsahne verfeinern.

Anrichten

Die Nockerln aus dem Wasser nehmen, gut abtropfen lassen, halbieren und auf vorgewärmten Tellern plazieren, mit der Tomatencreme überziehen, den Zucchino- und Tomatenwürfeln garnieren und servieren.

Meine Tips

Alternative mit einheimischem Hartkäse, den man reiben kann.

Gelungene Einlage für Kraftbrühe.

Sie können die Nockerln ohne Creme auch als Beilage verwenden.

Quarknocken mit feiner Kräutercreme

250 g Quark
2 Eier
25 g Weizenmehl
45 g Semmelbrösel
ein wenig geriebene Muskatnuß
reichlich Salzwasser zum Kochen der Nocken

Kräutercreme:
250 g Crème fraîche
eine Prise Zucker
1 EßI. Olivenöl
1/2 Teel. gehackte Petersilie
1/2 Teel. Schnittlauch
1/2 Teel. gehackter Estragon
1/2 Teel. gehackter Mangold
Salz, weißer Pfeffer aus der Mühle

Garnitur:
1 Schale Gartenkresse
1 kleine Tomate, Butter, Salz

4 Portionen

Käsenockerln in Tomatencreme

Zubereitung

Den Quark in eine Schüssel geben und samt den Eiern sehr gut verrühren. Die Muskatnuß, Mehl und Semmelbrösel beifügen, mit einem Kochlöffel verrühren und die Masse kurz rasten lassen.

Mit einem immer wieder in Wasser getauchten Eßlöffel Nocken formen und direkt in leicht kochendes Salzwasser legen und 20 Minuten nicht zu fest kochen lassen.

Die Kräuter in Olivenöl bei geringer Hitze kurz anschwitzen, die Crème fraîche und den Zucker beifügen, langsam zu einer leicht cremigen Masse reduzieren und würzen.

Die Tomate kurz in kochendes Wasser heben, kalt abschrecken, schälen, entkernen, in Würfel schneiden, in der zerlassenen Butter schwenken und würzen.

Anrichten

Je zwei Nocken auf einem Teller plazieren, mit der Kräutercreme überziehen, mit Kresse und den Tomaten garnieren und servieren.

Meine Tips

Besonders gut schmecken die Nocken mit geriebenem Parmesankäse und brauner Butter.

Variante mit Blattspinat oder Brennesseln: blanchierten, gemixten Blattspinat oder Brennesseln, Knoblauch und Zwiebel unter die Masse rühren.

Sie können feingehackte Kräuter in die Masse einrühren und die fertigen Nocken mit Schmelzkäse überbacken.

Besonders fein wirkt ein weiß-grünes Spargelragout (siehe unter Variation von der Wachtel).

Verwenden Sie für dieses Rezept nur Magerquark.

Es gibt natürlich weitere Varianten, die Sie nach Ihrem Geschmack zubereiten können.

Das Formen der Nocken erfordert sicher etwas Übung; drehen Sie die Nocke in der Höhle Ihrer Hand, vom Löffel zu lösen, und legen sie samt dem Löffel ins kochende Salzwasser, denn nur so bekommen sie eine glatte Oberseite.

Graukäsenocken auf Blattspinat mit Sauerrahm

80 g Graukäse
225 g Quark
2 Eier
40 g Weizenmehl
40 g Semmelbrösel
Reichlich Salzwasser zum Kochen der Nocken
200 g Crème fraîche
Salz, Prise Zucker
12 Spinatblätter, ein wenig zerlassene Butter

Garnitur: 2 Eßlöffel in feine Würfel geschnittene rote Paprikaschoten in Butter anschwitzen und salzen

4 Portionen

Graukasnocken auf Blattspinat

Zubereitung

Den Quark samt den Eiern und Graukäse im Mixer zu einer glatten Masse aufmontieren, das Mehl und die Semmelbrösel beifügen, unterrühren und die Masse kurz rasten lassen.

Mit einem immer wieder in Wasser getauchten Eßlöffel Nocken abstechen, formen und direkt in leicht kochendes Salzwasser legen und 20 Minuten nicht zu fest kochen lassen.

Die Crème fraîche in einer Kasserolle zum Kochen bringen, salzen und mit einer Prise Zucker verfeinern.

Die Spinatblätter waschen, in Salzwasser kurz blanchieren, kurz kalt abschrecken und in ein wenig Butter schwenken.

Anrichten

Je drei Spinatblätter auf vorgewärmten Tellern plazieren, die Nocken aus dem Wasser nehmen, schräg der Länge nach halbieren, zwischen den Spinatblättern plazieren, mit der Crème fraîche übergießen, mit den Paprikawürfeln garnieren und servieren.

Meine Tips

Mit geriebenem Parmesankäse und brauner Butter.

Anstelle der Paprikaschote in Butter gerösteten Zwiebelringe.

Je nach der Schärfe vom Graukäse können Sie mehr oder weniger als 80 Gramm nehmen.

Grießnocken überbacken

300 ml Milch
90 g feiner Weizengrieß
50 g Eiweiß
Salz
geriebene Muskatnuß
Tomatensoße

Béchamelsoße:
$1/4$ l Milch
20 g Weizenmehl
15 g Samenöl
Salz, Pfeffer

geriebener Parmesankäse zum Bestreuen
flüssige Butter zum Beträufeln

4 Portionen

Zubereitung

Die Milch zum Kochen bringen, den Grieß unter ständigem Rühren einrieseln und zugedeckt unter öfterem Rühren 15 Minuten auf kleinem Feuer kochen lassen.

Das Eiweiß mit dem Salz zu Schnee schlagen und unter die Grießmasse heben und kurz abkühlen lassen.

Eine Gratinpfanne mit Tomatensoße ausgießen, aus der Grießmasse mit einem immer in kaltes Wasser getauchten Eßlöffel Nocken abstechen und darin plazieren.

für die Béchamelsoße das Mehl mit dem Öl verrühren, in die noch nicht kochende Milch einrühren, salzen, unter öfterem Rühren zum Kochen bringen, die Nocken damit überziehen, mit Parmesankäse bestreuen, mit Butter leicht beträufeln und im Rohr bei 210 Grad überbacken.

Anrichten

Je zwei Nocken auf vorgewärmten Tellern plazieren und servieren.

Meine Tips

Anstelle der Béchamelsoße mit Schmelzkäse bedecken und überbacken.

Tomatensoße und Béchamelsoße vermischen und damit überziehen.

Nußnocken mit Butter und Käse

250 g Quark
2 Eier
1 Eßl. Semmelbrösel
2 Eßl. Weizenmehl
4 Eßl. geröstete, geriebene Haselnüsse
reichlich Salzwasser zum Kochen der Nocken
80 g braune Butter
100 g geriebener Parmesankäse

4 Portionen

Zubereitung

Den Quark in eine Schüssel geben und samt den Eiern sehr gut verrühren. Die Haselnüsse, Mehl und Semmelbrösel beifügen, mit einem Kochlöffel verrühren und die Masse kurz rasten lassen.

Mit einem immer wieder in Wasser getauchten Eßlöffel Nocken formen, direkt in leicht kochendes Salzwasser legen und 20 Minuten nicht zu fest kochen lassen.

Anrichten

Je zwei Nocken auf vorgewärmten Tellern plazieren, mit Parmesankäse bestreuen, der braunen Butter abschmälzen und servieren.

Meine Tips

Eine gelungene Variante: Walnüsse anstelle der Haselnüsse.

Sie können die Nocken, mit einem Teelöffel gedreht, auch als Beilage, besonders fein zu Lammfilets-Kotelettes, servieren.

Speckknödel mit Kartoffeldressing

200 g feingeschnittenes altbackenes Knödelbrot
ca. 200 g Milch
3 Eier
80 g feingeschnittener Bauernspeck
100 g Butter
ca. 1 EßI. Mehl
1 EßI. feingehackte Zwiebel
1 EßI. feingeschnittener Schnittlauch, Petersilie
ein wenig Salz, Pfeffer aus der Mühle

Dressing:
1 gekochte Kartoffel, 1 kleines Stück Zwiebel
4 EßI. weißer Weinessig, ein wenig Maisöl
ca. 1/8 l Fleischbrühe, 1 Teel. Senf
Salz, Pfeffer aus der Mühle

Garnitur:
Feldsalat, Radieschen
feingeschnittener Schnittlauch

5–7 Portionen

Zubereitung

Das Knödelbrot mit der Milch vermischen und ziehen lassen. Die Zwiebel in der Butter anschwitzen und samt Speck, Schnittlauch, Mehl, Eiern, Salz und Pfeffer zur Brotmasse geben, sehr gut vermischen, kurz rasten lassen und mit nassen Händen zehn Knödel daraus formen, in kochendes Salzwasser legen und 15-20 Minuten kochen lassen.

Anrichten

Die Knödel aus dem Wasser nehmen, in Scheiben schneiden und im Kreis auf Tellern plazieren, mit Feldsalat und Radieschen garnieren, abwechselnd je eine Scheibe Knödel und den Feldsalat mit dem Dressing überziehen, mit Schnittlauch bestreuen und servieren.

Meine Tips

Rationeller: die Knödelmasse in einer Serviette einrollen binden, kochen und in Scheiben schneiden.

Wird die Masse zu naß, etwas Brotbrösel beifügen.

Die Knödel beim Formen zuerst fest zusammendrücken und mit nicht zu nassen Händen glattformen.

Vorsichtshalber können Sie einen kleinen Probeknödel in kochendes Salzwasser geben. Hält der Knödel nicht, ist die Masse zu weich (naß).

Am besten eignen sich Semmeln für Knödelbrot.

Anstelle von Feldsalat paßt auch Gartenkresse.

Speckknödel in der Suppe.

Am besten sind die Knödel lauwarm.

Buchweizenspätzle

100 g Buchweizenmehl mittel
100 g Weizenmehl
3 Eier
ca. 5 cl Wasser
2 cl Öl
80 g Bauchspeck in Julienne
1 kleine gehackte Knoblauchzehe
2 cl Weißwein
10 cl Milch
10 cl Rahm
ein wenig Speisestärke
geschnittener Schnittlauch

4–5 Portionen

Speckknödel mit Kartoffeldressing

Zubereitung

Das vermischte Mehl in eine Schüssel geben, mit den Eiern, Wasser und Öl zu einem glatten Teig schlagen und etwas stehenlassen.

In einer Schwenkpfanne den Speck und den Knoblauch anschwitzen, mit Weißwein ablöschen, mit der Milch und Sahne aufgießen, mit der Speisestärke cremig binden und den Schnittlauch beifügen.

Den Teig mit dem Spätzle-Hobel in genügend kochendes Salzwasser hobeln, warten, bis die Spätzle an der Oberfläche sind, mit einem Schaumlöffel in die vorbereitete Soße geben und gut durchschwenken.

Anrichten

Die Spätzle auf vorgewärmten tiefen Tellern verteilen und servieren.

Meine Tips

Sie können die Spätzle auch mit etwas Käse verfeinern.

Die Soße können Sie nur mit Sahne, ohne Milch und Stärke zubereiten, indem Sie die Sahne bis zur gewünschten Konsistenz reduzieren lassen, ist dafür schwerer und sättigender.

Eine feine Garnitur: gegrillte Steinpilzscheiben.

Lockerer schmecken die Spätzle mit wenig geschlagener Sahne, kurz vor dem Anrichten beifügen und durchschwenken.

Ein wenig in Julienne geschnittener und blanchierter junger Lauch ist eine raffinierte Variante.

Steinpilzknödel

200 g feingeschnittenes, altbackenes Knödelbrot
ca. 200 g Milch, 3 Eier
250 g Steinpilze geputzt, 100 g Butter, ca. 1 Eßl. Mehl
1 Eßl. feingehackte Zwiebel und eine Knoblauchzehe
1 Eßl. feingeschnittener Schnittlauch
ein wenig Salz, Pfeffer aus der Mühle
braune Butter und Parmesankäse

Garnitur: *Steinpilze*

5 Portionen

Zubereitung

Das Knödelbrot mit der Milch vermischen und ziehen lassen.

Die Zwiebel in der Butter anschwitzen, den Knoblauch beifügen, kurz anschwitzen, die in kleine Scheiben geschnittenen Steinpilze darin rösten, einen Teil zur Garnitur warm stellen und die restlichen samt Schnittlauch, Mehl, Eiern, Salz und Pfeffer zur Brotmasse geben, sehr gut vermischen, kurz rasten lassen und mit nassen Händen zehn Knödel daraus formen, in kochendes Salzwasser legen und 15 bis 20 Minuten kochen lassen.

Die warmgestellten Steinpilze nochmals erhitzen, würzen und mit Schnittlauch verfeinern.

Anrichten

Je zwei Knödel auf vorgewärmten Tellern plazieren, mit geriebenem Parmesan bestreuen, mit den Steinpilzen garnieren, mit brauner Butter abschmälzen und servieren.

Meine Tips

Kräftiger im Geschmack werden die Knödel mit 50 Gramm Trockenpilzen (in wenig Wasser eingeweicht).

Wird die Knödelmasse zu naß, etwas Brotbrösel beifügen.

Die Knödel beim Formen zuerst fest zusammendrücken und mit nicht zu nassen Händen glattformen.

Steinpilzknödel

Vorsichtshalber können Sie einen kleinen Probeknödel in kochendes Salzwasser geben, hält der Knödel nicht, ist die Masse zu weich (naß).

Am besten eignen sich Semmeln für Knödelbrot.

Eine gelungene Variante mit Mischpilzen.

Schupfnudeln mit Kalbshirn überbacken

Kartoffelteig von 500 g Kartoffeln
1/2 Stange Lauch, 1 Karotte
1 Kalbshirn, 1 Teel. Butter
1/4 l geschlagene Sahne
2 Eidotter, geriebener Parmesankäse und Butter

6 Portionen

Zubereitung

Das Kalbshirn warm wässern und enthäuten.
Den Lauch waschen, in Streifen schneiden, die Karotte schälen, waschen und in Blättchen schneiden, in Salzwasser blanchieren, kalt abschrecken und absüßen.
Den Kartoffelteig in gleiche Teile schneiden, darauf auf einer leicht bemehlten Arbeitsfläche kleine Rollen formen, mit einer Palette kleine Nockerln abstechen und mit der Hand zu Nudeln formen.
Das Kalbshirn in Stücke schneiden, in der Butter sautieren, die in Salzwasser gekochten Schupfnudeln, Lauch und Karotten beifügen, durchschwenken, die Eidotter mit der Sahne verrühren, würzen und samt den Nudeln nochmals durchschwenken.

Anrichten

Die Nudeln in vorgewärmten Tellern plazieren, mit Parmesankäse bestreuen, mit zerlassener Butter leicht beträufeln, unter dem Salamander gratinieren und servieren.

Meine Tips

Kartoffelnudeln, mit Butter und Bröseln geschwenkt, sind eine geeignete Beilage zu Schmorbraten.

Eine gelungene Variante mit Kalbsbries.

Kindern wie Erwachsenen schmecken Schupfnudeln, mit Zucker und Schokoladenpulver bestreut und brauner Butter abgeschmälzt.

Auch mit geriebenem Mohn, Zucker und brauner Butter.

Damit der Teller nicht zu heiß wird, im Stanniolpapier eine Rundung in der Größe der zu überbackenden Speise ausschneiden und auf den Teller legen.

Gelungene Variante mit Steinpilzen.

Kürbisspätzle

250 g Speisekürbis, entkernt und geschält
150 g Weizenmehl
2 Eier, 2 cl Kürbiskernöl, Salz

Soße:
150 g Kürbis, entkernt und geschält
100 g Sahne, Salz, Pfeffer aus der Mühle

Garnitur: geschnittene Dillspitzen

4 Portionen

Zubereitung

Den Kürbis in Würfel schneiden und in wenig Salzwasser dämpfen, absieben, im Rohr bei geringer Hitze auf einem Blech etwas ausdämpfen lassen und im Mixer pürieren.

Schupfnudeln mit Kalbshirn

Das Mehl mit dem Kürbis in eine Rührschüssel geben, mit den Eiern, Salz und Öl zu einem glatten Teig schlagen und etwas stehenlassen.

Für die Soße den bereits mitgedämpften Kürbis mit der Sahne aufkochen lassen und mit dem Mixer aufschlagen.

Den Teig mit dem Spätzle-Hobel in genügend kochendes Salzwasser hobeln, warten, bis die Spätzle an der Oberfläche sind, mit einem Schaumlöffel aus dem Wasser heben, in die Soße geben, gut durchschwenken, in vorgewärmten Tellern mit wenig Dill bestreut servieren.

Meine Tips

Anstatt die Soße aufschlagen, geschlagene Sahne verwenden.

In feine Julienne geschnittenen Schinken, in wenig Butter angeröstet, der Soße beifügen.

Für Sauerrahmliebhaber ist Crème fraîche eine gelungene Variante.

Der Masse etwas mehr Mehl beifügen, und Sie können mit einem Teelöffel Nockerln abstechen, in Salzwasser kochen und mit geriebenem Parmesankäse und Butter oder wie die Spätzle servieren.

Steinpilzfleckerln

Nudelteig von 200 g Weizenmehl
300 g frische Steinpilze geputzt oder 30 g getrocknete
Steinpilze in wenig Wasser eingeweicht
1/2 Eßl. feingehackte Zwiebel mit 1/2 Knoblauchzehe
1 Eßl. Butter, Salz, Pfeffer aus der Mühle
Béchamelsoße von 1/4 l Milch
100 g geschlagene Sahne
2 Eßl. Parmesankäse, 1 Teel. feingeschnittener Schnittlauch
Parmesankäse, flüssige Butter zum Beträufeln

5–6 Portionen

Zubereitung

Den Nudelteig auf einer bemehlten Arbeitsfläche oder besser mit der Nudelmaschine ausrollen, in kochendes Salzwasser legen, zwei Minuten kochen, absieben, auf einem sauberen Arbeitstisch ausbreiten und in Fleckerln schneiden.

Die Steinpilze in Scheiben schneiden, die Zwiebel samt Knoblauch in der Butter anschwitzen, die Steinpilze beifügen und dünsten, bis die Flüssigkeit ganz reduziert ist.

Die Béchamelsoße zubereiten, Schnittlauch, Pilze, Schlagsahne, Fleckerln und Parmesankäse dazugeben, alles gut durchschwenken, auf vorgewärmten Tellern anrichten, leicht mit Parmesankäse bestreuen, mit Butter beträufeln, unter dem Salamander überbacken und servieren.

Meine Tips

Sie können die Fleckerln auch in einer Auflaufform überbacken, ausstechen oder in der Form servieren.

Alternative mit Schinken.

Teller mit Stanniolpapier zudecken (siehe Schupfnudeln).

Palatschinken mit Mangold

Fülle: 150 g Mangoldblätter, 100 g Mangoldstängel
1/2 Knoblauchzehe fein gehackt
1 Teel. feingehackte Zwiebel, 1 Teel. Butter
20 g Parmesankäse, ein wenig geriebene Muskatnuß
Salz, Pfeffer aus der Mühle
2 Palatschinken, 28 cm Durchmesser

Béchamelsoße: 350 ml Milch
30 g Weizenmehl mit 20 g Olivenöl verrühren
50 ml Sahne, Salz, 1 Lorbeerblatt
Butter zum Einfetten der Form, Parmesankäse zum
Bestreuen, flüssige Butter zum Beträufeln

4 Portionen

Steinpilzfleckerln

Gröstel vom Kalbszüngerl

2 mittelgroße gekochte Pellkartoffeln
200 g frische weiße Champignons
400 g gekochtes Kalbszüngerl
2 EßI. Butter
Salz, Pfeffer aus der Mühle

4 Portionen

Garnitur:
Schnittlauch
8 Teel. Preiselbeermarmelade

Zubereitung

Die Pellkartoffeln schälen und in Stäbchen schneiden, die Champignons waschen und in Scheiben schneiden, in der Butter unter öfterem Schwenken rösten, das in Scheiben geschnittene Züngerl beifügen, kurz mitrösten und mit Salz und Pfeffer würzen.

Anrichten

Das Gröstel auf vorgewärmten Tellern anrichten, mit den Preiselbeeren und Schnittlauch garnieren und servieren.

Meine Tips

Anstelle der Champignons sind Steinpilze eine gelungene Variante.

Saftiger wird das Gröstel mit etwas braunem Kalbsfond.

Für Knoblauchliebhaber empfehle ich, zwei Zehen gehackten Knoblauch mitzurösten.

Zubereitung

Die Mangoldblätter und -stengel waschen, die Blätter im Salzwasser blanchieren, die Stengel knackig kochen und beide im kalten Wasser kurz abschrecken, absieben, die Blätter leicht auspressen und samt den Stengeln in ca. 2 cm lange Stücke schneiden. Die Zwiebel in der Butter in einer Edelstahlpfanne anschwitzen, den Knoblauch beifügen, kurz ziehen lassen, den geschnittenen Mangold beifügen, mit Salz, Pfeffer, Muskatnuß und Parmesankäse abschmecken und erkalten lassen.

Für die Béchamelsoße das Mehl mit dem Öl verrühren, in die noch nicht kochende Milch einrühren, salzen, unter öfterem Rühren zum Kochen bringen, mit Sahne verfeinern, das Lorbeerblatt beifügen und am Herdrand ziehen lassen, 100 g Béchamelsoße unter den Mangold rühren.

Die Palatschinken auf einer sauberen Arbeitsfläche ausbreiten, die Mangoldfülle darauf verteilen, mit einer Palette glattstreichen, einmal zur Mitte zusammenfalten, halbieren, so daß vier Stücke werden, und zu Dreiecken zusammenfalten.

In einer feuerfesten Form mit Butter ausgestrichen, einen dünnen Belag Béchamelsoße gießen, die Palatschinken darauflegen, gleichmäßig mit der übrigen Soße überziehen, mit Parmesankäse leicht bestreuen, mit Butter beträufeln und im vorgeheizten Rohr bei 200 Grad überbacken.

Die Palatschinken, in der Form oder auf warmen Tellern plaziert, servieren.

Meine Tips

Alternative mit Blattspinat.

Besonders fein mit jungen Brennesseln.

Raffiniert wirken die Palatschinken mit Mischgemüse oder mit weißen und grünen Spargeln.

Einen feinen Geschmack erzielen Sie mit etwas in Butter geröstetem Kalbshirn unter dem Mangold.

Gröstel mit Kalbszüngerl

Schwarzplentenknödel
mit Sesam-Kalbshirn-Mantel

4 altbackene Semmeln, 10 Scheiben Bauchspeck
1 Eßl. feingeschnittene Zwiebel
1 Eßl. feingeschnittener Schnittlauch
2 Eßl. Butter, ca. 10 cl Milch, 3 Eier
100 g Schwarzplentenmehl (Buchweizenmehl grob)
Salz, Pfeffer aus der Mühle

Zum Panieren:
1 Ei mit 100 g feingehacktem Kalbshirn vermischen,
Sesamsamen
Öl zum Backen

Garnitur:
Preiselbeeren (ersatzweise rote Ribiseln) in Sahne mit wenig
Zucker erhitzen. Junge Petersilie in Butter gebraten.

5–6 Portionen

Zubereitung

Die Semmeln kleinschneiden, mit der Milch vermischen und
ziehen lassen.
Die Zwiebel in der Butter anschwitzen, den Speck in feine
Streifen schneiden, samt Schnittlauch, Zwiebel, Eier, Salz,
Pfeffer und Schwarzplentenmehl über die Brotmasse geben,
sehr gut vermischen, kurz rasten lassen, daraus eine Rolle
formen, die Sie in eine nasse Stoffserviette einmachen, binden
und in reichlich Salzwasser 25 Minuten zugedeckt kochen.
Die Knödel aus der Serviette nehmen, in Scheiben schneiden,
in Ei-Hirn-Masse legen, in Sesamsamen wenden, im heißen Öl
goldig backen und auf Küchenkrepp legen.

Anrichten

Die Knödelscheiben auf vorgewärmten Tellern anrichten, mit
den Preiselbeeren und Petersilie garnieren und servieren.

Schwarzplentenknödel

Kartoffeltorte

Ausgeteig von 150 g Mehl
800 g geschälte Pellkartoffeln
150 g in feine Streifen geschnittener Bauchspeck
60 g Butter
2 EßI. feingehackte Zwiebel
2 EßI. feingeschnittener Schnittlauch
5 Eier
260 g Milch
260 g Sahne
50 g Parmesankäse gerieben
ein wenig Majoran
Salz, Pfeffer aus der Mühle

Tortenform von 28 cm Durchmesser

Tomatensoße

4 Portionen

Zubereitung

Den Teig auf einer bemehlten Arbeitsfläche dünn ausrollen, die Tortenform damit auslegen und im vorgeheizten Rohr blind backen. Die Kartoffeln in Stäbchen schneiden, in der bereits blindgebackenen Form samt dem Bauchspeck gleichmäßig verteilen.
Die Zwiebel in der Butter anschwitzen, samt den Eiern mit Milch, Sahne, Salz, Pfeffer, Parmesankäse, Majoran und Schnittlauch verrühren, über die Kartoffeln gießen und im vorgeheizten Rohr bei 160 Grad ca. 30 Minuten backen.

Anrichten

Die Torte in Portionen schneiden, auf vorgewärmten Tellern plazieren und mit Tomatensoße servieren.

Crêpes mit Kürbis

2 gebackene Crêpes mit einem Durchmesser von 30 cm
450 g Speisekürbis, entkernt und geschält
ein wenig Salzwasser
1 Eigelb
1 Eiweiß mit einer Messerspitze Salz
300 ml Milch, 15 g Weizenmehl mit 10 g Maisöl
Pfeffer, ein wenig geriebene Muskatnuß
geriebener Parmesankäse zum Bestreuen
ein wenig flüssige Butter zum Beträufeln

Gewürztraminer Schaum:
4 EßI. Gewürztraminer
4 EßI. kräftige Kraftbrühe
4 EßI. Sahne, 1 Eidotter
1 Messerspitze Zimt, Salz

Garnitur:
in Butter geröstete, hausgemachte Brotwürfel
Zimt, Petersilie

4–5 Portionen

Zubereitung

Den Kürbis in Würfel schneiden, in wenig Salzwasser dämpfen, absieben, im Rohr bei geringer Hitze auf einem Blech ausdämpfen lassen, im Mixer pürieren und das Eigelb unterrühren.
Die Crêpes wie im Grundrezept zubereiten und auf eine saubere Arbeitsfläche ausbreiten.

Crêpes mit Kürbis

Die Kürbiscreme auf die zwei Crêpes verteilen, mit einer Palette glatt, gleichmäßig verstreichen, zu einer Rolle formen und in je vier oder fünf Stücke schneiden.

Aus der Milch mit den Zutaten eine Béchamelsoße zubereiten, das Eiweiß mit dem Salz zu Schnee schlagen und unter die noch heiße Béchamelsoße rühren.

Eine passende Auflaufform mit Butter ausstreichen, leicht mit der Béchamelsoße ausgießen, die Crêpes eng nebeneinander darin plazieren, mit der Béchamelsoße überziehen, mit Parmesankäse bestreuen, mit der Butter leicht beträufeln und im vorgeheizten Rohr bei 180 Grad überbacken.

Für die Gewürztraminer Soße die ganzen Zutaten in einer Kasserolle verrühren und auf leichtem Feuer zu einer cremigen Masse schlagen.

Anrichten

Je zwei Crêpes auf vorgewärmten Tellern plazieren, mit der Gewürztraminer Soße, ein wenig Zimt, den Brotwürfeln und der Petersilie garnieren und servieren.

Meine Tips

Sie können die Crêpes auch mit einer Pfanne von 20 cm Durchmesser backen, mit der Creme füllen, zu einem Dreieck zusammenfalten und überbacken.

Falten Sie die Enden der Crêpes vor dem Aufrollen einen Zentimeter nach innen.

Vollwertig mit etwas Weizenkeimen in der Fülle.

Sommergemüse in der Palatschinke

Palatschinkenteig (siehe Grundrezepte) mit 1 Eßlöffel gehackter Basilikumblätter verrühren und vier Palatschinken mit einem Durchmesser von 20 cm backen.

400 g gemischtes, geschältes Gemüse:
Salatgurken, Zucchini, Auberginen, Tomaten
1 Mozzarella
1 Knoblauchzehe geschält
1 Teel. gehackter Basilikum
Salz, Pfeffer aus der Mühle
2 cl Olivenöl
4 Schnittlauchstengel

4 Portionen

Zubereitung

Das Gemüse in Würfel schneiden, in Olivenöl knackig dünsten, salzen, pfeffern und warm stellen.

Die Knoblauchzehe durchpressen, die Mozzarella in Würfel schneiden und samt dem Basilikum unter das Gemüse mischen.

Die Gemüsefüllung auf den Palatschinken verteilen, die Ränder hochheben, mit den kurz in heißes Wasser getauchten Schnittlauchstengeln zubinden, auf ein Blech legen und im Rohr bei ca. 160 Grad ca. zehn Minuten ziehen lassen.

Die Palatschinken auf vorgewärmte Teller plazieren, vorne aufschneiden, und servieren.

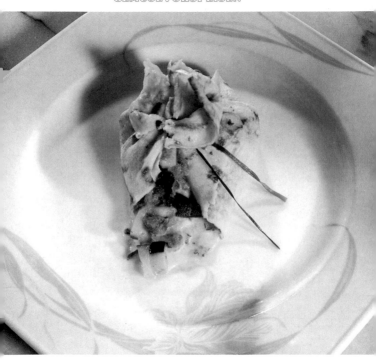

Gemüse in der Palatschinke

Spargeln mit drei Soßen

2 kg weiße Spargeln
ein wenig Butter
1 Teel. Zucker
Salzwasser

Chantillysoße:
4 Eßl. feste Mayonnaise mit 1 Eßl. geschlagener Sahne

Tatarensoße:
3 Eßl. Mayonnaise mit 1 hartgekochten Ei, von dem Sie den Dotter durch ein Sieb streichen und das Eiweiß grob hacken, 1 Mokkalöffel feingeschnittener Schnittlauch.

Salbeimayonnaise:
4 Eßl. Mayonnaise mit 4 feingeschnittenen frischen Salbeiblättern.

Zubereitung

Die Spargeln vom Kopf her schälen, hinten ca. 2 cm wegschneiden, waschen, die Butter und den Zucker in wenig Salzwasser zum Kochen bringen und die Spargeln zugedeckt ca. 15-20 Minuten garen lassen.

4-5 Portionen

Anrichten

Die Spargeln auf vorgewärmten Tellern plazieren und die Soßen getrennt dazu servieren.

Meine Tips

Spargeln mit Schwarzbrot- oder Weißbrotbröseln und zerlassener Butter.

Spargeln mit Hausschinken.

Weiße, grüne und Wildspargeln mit drei Soßen.

Blumenkohlflan auf Salatgurken

300 g Blumenkohl
Salzwasser
Saft einer halben Zitrone
20 g Butter
100 g Sahne
2 Eier
Salz, weißer Pfeffer aus der Mühle
ein wenig geriebene Muskatnuß
50 g blanchierte, in feine Würfel geschnittene Karotten
cremige Butter zum Einfetten der Formen
4 Timbalformen
1 kleine Salatgurke
20 g Butter
8 cl Sahne
Salz

Garnitur:
geschnittener Schnittlauch oder Gartenkresse
Blumenkohlröschen

4 Portionen

Zubereitung

Den Blumenkohl in Röschen zerpflücken, waschen, mit der Zitronensaft im Salzwasser knackig kochen, absieben, in der Butter anschwitzen, mit der Sahne aufgießen, kurz reduzieren lassen und noch heiß im Mixer pürieren.

Die Masse in einer Schüssel auskühlen lassen und in der Zwischenzeit die Timbalformen gut mit Butter ausstreichen und in den Gefrierschrank stellen.

Die Eier mit einem Schneebesen sehr gut verrühren, mit Gewürzen und Karottenwürfeln unter die Blumenkohlmass rühren, in die Formen abfüllen und im Wasserbad im Rohr b 100 bis 110 Grad 45 Minuten ziehen lassen.

Die Gurke waschen und mit der Schale in eine feine Julienn schneiden, in der Butter kurz anschwitzen, salzen, die Sahn beifügen und kurz ziehen lassen.

Blumenkohlflan auf Salatgurken

Anrichten

Die Gurken auf flachen vorgewärmten Tellern verteilen, die Flans stürzen, in der Mitte plazieren, mit Schnittlauch oder Gartenkresse und den Blumenkohlröschen garnieren und servieren.

Meine Tips

Besonders zart wird der Flan, wenn Sie das gemixte Blumenkohlpüree durch ein Haarsieb streichen.

Sie können den Flan ohne Gurken auch als Beilage servieren.

Fencheltörtchen

Auslegeteig von 100 g Weizenmehl
400 g Fenchel geputzt
Salzwasser mit Zitronensaft
2 Eier, 100 g Sahne, 100 g Milch
1 Eßl. Parmesankäse gerieben
8 Scheiben Bauchspeck geräuchert, in feine Streifen geschnitten
1 Teel. gehackte Petersilie
Salz, Pfeffer aus der Mühle

Käsesoße:
50 g Weißwein
50 g geriebener Parmesankäse
100 g geschlagene Sahne
Salz

4 Florentiner Formen

Garnitur:
gekochte Karotten in beliebiger Form
Fenchelgrün, gehackte Petersilie

4 Portionen

Zubereitung

Den Teig auf einer bemehlten Arbeitsfläche dünn ausroller rund ausstechen, die Florentiner Formen damit auslegen, in Linsen füllen, im vorgeheizten Rohr bei 200 Grad backen un die Linsen noch warm lösen.

Den Fenchel mit Zitronensaft im Salzwasser knackig kocher in kaltem Wasser kurz abschrecken, absieben, in klein Würfel schneiden und je gleich viel in die Förmchen einfüller Die Eier mit der Milch, Sahne, Salz, Pfeffer, Parmesankäse und Petersilie verrühren und samt dem Speck über de Fenchel in die Förmchen gießen.

Die Törtchen im vorgeheizten Rohr bei 160 Grad ca. 15 b 20 Minuten backen.

Für die Soße den Parmesankäse im Weißwein aufkocher salzen und mit der geschlagenen Sahne verfeinern.

Anrichten

Mit der Soße auf vorgewärmten Tellern einen Spiegel gießer die Törtchen in Stücke schneiden, darauf plazieren, mit de Karotten, Fenchelgrün und gehackter Petersilie garnieren un servieren.

Fencheltörtchen

Geräucherte Lachsforelle

Nach Mayer Dipauli Franz

2 Lachsforellen zu 400 g
2 Eßl. Salz
etwas Pfeffer aus der Mühle
4 Blatt Basilikum
2 Blatt Salbei
I Zweig Thymian
I Knoblauchzehe
I Blatt Sellerie

4 Portionen

Zubereitung

Die Forellen ausnehmen, waschen, die Gewürze alle fein wiegen, mit Salz und Pfeffer vermischen, die Forellen damit einreiben und 24 Stunden im Kühlschrank ziehen lassen. Die Forellen im Räucherofen bei 80 Grad eine Stunde mit etwas Sägemehl und Kranebittstrauch räuchern.

Anrichten

Die Forellen filetieren und mit Apfelkren oder Toastbrot und Butter servieren.

Bandnudeln mit Tinte von Calamari mit Scampi

Restlichen Nudelteig von Cannelloni mit Seezungenmousse
Von den Scheren mit 1/4 l Wasser, wenig Zitronensaft und Salz einen Fond zubereiten
12 ausgebrochene, geputzte Scampi
I Teel. Butter
1/4 l geschlagene Sahne
Salz, Pfeffer aus der Mühle

Garnitur: Estragon

4 Portionen

Zubereitung

Den Nudelteig auf einer leicht bemehlten Arbeitsfläche oder besser mit der Nudelmaschine ausrollen, leicht mit Mehl bestäuben, zu einer Rolle aufrollen, mit einem scharfen Messer in 1/2 cm dicke Scheiben schneiden, vorsichtig auseinanderrollen, in genügend kochendes Salzwasser legen und al dente kochen.
Die Scampi halbieren, im abgesiebten aufgekochten Fond mit Butter auf beiden Seiten je Seite ca. zwei Minuten ziehen lassen, die Sahne und Nudeln beifügen, eventuell salzen und pfeffern, gut durchschwenken, auf vorgewärmten Tellern anrichten, mit Estragon garnieren und servieren.

Meine Tips

Calamari oder Sepien sind eine gelungene Alternative für die Scampi, die zugleich preisgünstiger ist.

Bei manchen Nudelmaschinen (Haushaltsgeräten) ist eine Vorrichtung für die Zubereitung von Bandnudeln schon vorhanden.

Bandnudeln mit Tinte von Calamari

Gefüllte Zucchiniblüten mit Lachs und Seezunge

8 Zucchiniblüten
200 g Lachs- und Seezungenfilet pariert
ein wenig Zitronensaft
200 g Sahne
Salz, weißer Pfeffer

Safranschaum:
1/8 l Fischfond
1 Briefchen oder 3 Fäden Safran
1/8 l Sahne
1 Teel. kalte Butter
Salz, weißer Pfeffer

Garnitur: 4 Minizucchini

4 Portionen

Zubereitung

Das Lachsfilet in acht Stücke von 1 x 4 cm schneiden, würzen und mit Zitronensaft marinieren.
Das Seezungenfilet im Tiefkühlgerät gut durchkühlen lassen, in Stücke schneiden, würzen und mit der Sahne im Mixer zu einer feinen Farce aufmontieren.
Die Zucchiniblüten kurz waschen, mit der in einen Spritzsack gefüllten Seezungenfarce dreiviertelvoll einfüllen, die Lachsstücke in die Mitte einsetzen, die Blüten schließen und fest in Klarsichtfolie eindrehen und kalt stellen.
Die gefüllten Blüten im Wasser ca. zehn Minuten zugedeckt pochieren.
Für den Safranschaum bis auf die Butter alle Zutaten aufkochen, die kalte Butter beifügen und im Mixer aufschlagen.
Die Minizucchini waschen, in Scheiben schneiden und in wenig Salzwasser knackig kochen.

Anrichten

Mit dem Safranschaum auf vorgewärmten Tellern einen Spiegel gießen, die Zucchiniblüten aus der Folie nehmen, in der Mitte nach schräg in zwei Teile schneiden, auf dem Safranschaum plazieren, mit den Zucchinischeiben garnieren und servieren.

Meine Tips

Sie können den Safranschaum auch mit dem Pürierstab aufschlagen.

Sie können die Zucchiniblüten auch im Dampfofen garen.

Einfacher und trotzdem raffiniert wirken die Zucchiniblüten nur mit Seezungenfarce mit feinen Kräutern gefüllt: Kerbel, Estragon, Petersilie.

Sie können auch mit dem Lachs die Farce zubereiten und die Seezunge in die Mitte als Röllchen mit blanchiertem Spinat.

Gefüllte Zucchiniblüten mit Lachs

Lachsfilet im Spargelmantel

400 g pariertes, entgrätetes Lachsfilet
Salz, Zitronensaft
8 weiße Spargeln
4 Spinat- oder Mangoldblätter

Zitronensoße:
1 Eidotter, Saft einer halben Zitrone
Salz, weißer Pfeffer aus der Mühle
$1/8$ l Sahne

Garnitur: 12 grüne Spargelspitzen

4 Portionen

Zubereitung

Das Lachsfilet in vier Vierecke zu je 100 g schneiden, salzen und mit Zitronensaft marinieren.

Die Spargeln vom Kopf her schälen, hinten ca. 2 cm und die Spitzen wegschneiden, so daß eine Länge von 10 cm übrigbleibt.

Die Spinatblätter waschen, im kochenden Salzwasser kurz blanchieren, kalt abschrecken und auf einem Tuch zum Trocknen auslegen.

Die grünen Spargelspitzen in ein wenig Salzwasser mit Zucker und Butter aufkochen und im Sud am Herdrand warm stellen.

Die Spargeln mit dem Spargelschäler oder der Aufschnittmaschine der Länge nach in dünne Scheiben schneiden, daraus Quadrate von 10 Quadratzentimetern flechten und auf Klarsichtfolie legen, den Lachs im Spinatblatt einwickeln und daraufflegen, den Lachs im Spargelmantel samt der Folie zu einem Quadrat formen, die Folie gut zubinden und im kochenden Wasser ca. 10-15 Minuten zugedeckt garen lassen.

Für die Zitronensoße alle Zutaten verrühren und auf kleiner Flamme mit dem Schneebesen zu einer schaumigen Soße aufschlagen.

Lachsfilet im Spargelmantel

Anrichten

Das Lachsfilet aus der Folie nehmen, mit einem scharfen Messer teilen, auf vorgewärmten Tellern plazieren, mit der Zitronensoße und halbierten grünen Spargeln garnieren und servieren.

Jakobsmuscheln im Lachs-Kräuter-Mantel

Farce:
80 g pariertes Lachsfilet
1 Eßl. feine Kräuter (Estragon, Kerbel, Petersilie)
70 g Sahne
Salz, Pfeffer aus der Mühle
8 Jakobsmuscheln
Saft einer Zitrone
4 Mangoldblätter
Salz

Zitronen-Butter-Soße:
Saft einer Zitrone
1/4 l Fischfond
2 cl trockener Weißwein
4 Blätter Zitronenmelisse fein geschnitten
70 g kalte Butterflocken
Salz

Garnitur: *Zitronenmelissenblätter*

4 Portionen

Zubereitung

Das Lachsfilet zerkleinern, im Gefriergerät leicht anfrieren lassen, mit der Sahne, Kräutern, Salz und Pfeffer im Mixer zu einer feinen Farce mixen.
Die Jakobsmuscheln öffnen, säubern und samt dem Corail (oranger Rogen) kurz wässern, das Muschelfleisch aus dem Wasser heben, salzen und im Zitronensaft marinieren.

Die Mangoldblätter waschen, in Salzwasser kurz blanchieren, kalt abschrecken, abtrocknen und auf einem Tuch zum Trocknen auslegen, halbieren, auf einem Stück ausgebreiteter Klarsichtfolie plazieren, die Lachsfarce darauf zu acht Häufchen verteilen, mit einer Palette leicht verstreichen, die Jakobsmuscheln ohne Corail darauf verteilen, rund einschlagen, die Folie gut zudrehen, zubinden und im Wasserbad ca. 8–10 Minuten ziehen lassen.
Für die Soße den Fischfond um ein Drittel reduzieren lassen, die Corails darin auf beiden Seiten kurz ziehen lassen, aus dem Fond heben und warm stellen, den Weißwein, die Zitronenmelisse und Saft beifügen, salzen und mit der kalten Butter aufschlagen.

Anrichten

Mit der Soße auf vorgewärmten Tellern einen Spiegel gießen, die Muscheln aus der Folie schneiden, halbieren, je zwei auf der Soße plazieren, rundum mit den Corails und Melisse garnieren und servieren.

Fischsuppe nach meiner Art

1 Eßl. feingeschnittene Zwiebel und Lauch
3 cl Olivenöl
1/8 l Weißwein
1 l Fischfond
100 g Tomaten Concasser
1 Knoblauchzehe, 1 Lorbeerblatt, 1 Prise Safran
4 Stück kleine Knurrhähne
300 g pariertes Fischfilet (Lachs, Seezunge, Rotbarbe)
4 Scampi, 8 Jakobsmuscheln
Salz, Pfeffer aus der Mühle
gehackte Petersilie zum Bestreuen

4 Portionen

Zubereitung

Die Jakobsmuscheln öffnen, säubern und samt dem Corail (oranger Rogen) wässern.

Die Scampi ausbrechen, den Darm vom Schwanzende her entfernen und leicht waschen.

Die Zwiebel mit Lauch im Olivenöl anschwitzen, ohne Farbe nehmen zu lassen, die Knurrhähne putzen, waschen, samt den zerdrückten Scampischeren, Tomaten Concassée, gepreßtem, Knoblauch, Safran und Lorbeer beifügen, kurz andünsten, mit Weißwein löschen, dem Fischfond aufgießen, zehn Minuten langsam kochen lassen, salzen und pfeffern, die in mundgerechte Stücke geschnittenen Fischfilets (alle enthäutet und von den kleinen Gräten befreit), Scampi und Jakobsmuscheln in die kochende Suppe geben, weitere fünf bis zehn Minuten nicht zu stark kochen lassen, in vorgewärmte tiefe Teller füllen, mit Petersilie bestreuen und gut heiß servieren.

Gedämpftes Saiblingsfilet auf Champignon-Trüffel-Gratin

2 Saiblingsfilets zu je 200 g
Salz, Pfeffer aus der Mühle, ein wenig Zitronensaft

Champignon-Trüffel-Gratin:
200 g weiße frische Champignons, 1 Teel. Butter
30 g weiße oder schwarze Trüffel fein gehobelt
1 Eßl. Trüffelcreme
Salz, 1 Teel. grobgeschnittener Estragon
5 Eßl. geschlagene Sahne
geriebener Parmesankäse zum Bestreuen
zerlassene Butter zum Beträufeln
cremige Butter zum Bestreichen

Garnitur:
Trüffelscheiben fein gehobelt

4 Portionen

Zubereitung

Die Saiblingsfilets enthäuten, mit einer Pinzette oder kleinen Zange die Gräten auszupfen, salzen, pfeffern und mit Zitronensaft marinieren.

Die Saiblingsfilets im Fischkessel oder im Dämpfer bei geringer Hitze langsam dämpfen und warm halten.

Die Champignons putzen, waschen, in dünne Scheiben schneiden, in der Butter in einer Schwenkpfanne rasch dämpfen, den Saft reduzieren lassen, salzen, die Trüffelscheiben, Estragon, Trüffelcreme und Sahne beifügen und erhitzen.

Anrichten

Die Champignonmasse auf vorgewärmten Tellern verteilen, mit Parmesankäse bestreuen, leicht mit Butter beträufeln, unter dem Salamander goldig überbacken, die Saiblingsfilets schräg halbieren, darauf plazieren, mit cremiger Butter bestreichen, mit den Trüffeln und Estragon garnieren und servieren.

Mein Tip

Gelungene Alternative mit grünen Spargeln.

Cannelloni mit Seezungenmousse und Scampi in Zitronenmelissencreme

Nudelteig von 500 g Weizenmehl (siehe Grundrezepte) mit 1 Eßl. Tinte von Calamari zubereiten.
200 g Seezungenfilet, 200 g Sahne, 30 g Eiweiß, Salz
8 frische Scampi, ein wenig Zitronensaft
1/8 l Fond von den übrigen Scheren
4 Blätter feingeschnittene Zitronenmelisse
1/8 l geschlagene Sahne

Garnitur: Zitronenmelissenblätter

4 Portionen

Zubereitung

Die Scampi aufbrechen, den Darm vom Schwanzende her entfernen und leicht waschen.

Für den Fond acht Scampischeren zerdrücken, mit ¹/₄ l kaltem Wasser aufsetzen und ca. 20 Minuten köcheln lassen.

Das Seezungenfilet im Tiefkühlfach gut durchkühlen lassen, in Stücke schneiden, vorsichtig salzen und mit der Sahne und Eiweiß im Mixer zu einer feinen Farce aufmontieren.

Den Nudelteig mit der Hand oder am besten mit der Nudelmaschine zu dünnen, großen Teigblättern ausrollen, in Salzwasser aufkochen, absieben, kurz kalt abschrecken, abtropfen lassen, in vier Blätter von ca. 14 x 8 cm schneiden, auf Klarsichtfolie ausbreiten, die Seezungenfülle mit einem Spritzsack der Länge nach aufspritzen, einrollen, an den Enden gut verschließen und in Wasser oder im Dämpfer bei 70 Grad ca. zehn Minuten ziehen lassen.

Den Fond absieben, leicht salzen, den Zitronensaft beifügen, die anderen acht Scheren darin aufkochen, die Scampi hinzufügen, auf jeder Seite ca. zwei Minuten ziehen lassen und die Scampi in einem passenden Geschirr zugedeckt warm stellen.

Die Zitronenmelisse und Sahne beifügen, eventuell abschmecken und erhitzen.

Anrichten

Die Seezungenröllchen aus der Folie nehmen, schräg halbieren, auf vorgewärmten Tellern plazieren, die Scheren und je zwei Scampi daneben anrichten, mit der Zitronenmelissencreme überziehen, mit Zitronenmelisse garnieren und servieren.

Meine Tips

Das Gericht kommt geschmacklich voll zur Geltung, indem Sie es so heiß wie möglich servieren.

Vom übrigen Nudelteig können sie Bandnudeln zubereiten.

Tinte von Calamari erhalten Sie schon in kleinen Mengen abgepackt im Handel.

Der Teig soll nicht zu kräftig schwarz sein, eher ein leichtes seidenes Schwarz haben.

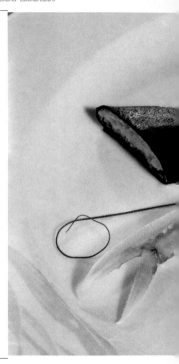

Cannelloni mit Seezungenmousse

Rührei mit grünen Spargeln

8 Eier
4 cl Milch, 2 Eßl. Butter
400 g grüne Spargeln
Salzwasser mit Butter und ein wenig Zucker
4 cl geschlagene Sahne
Salz, Pfeffer aus der Mühle

Garnitur: 16 in Butter gebratene Morcheln

4 Portionen

Zubereitung

Die Spargeln hinten eventuell schälen, die holzigen Enden und die Spitzen wegschneiden, waschen, die Mittelstücke in ca. 1 bis 2 cm lange Stücke schneiden und in der Butter fünf Minuten rösten, ohne Farbe nehmen zu lassen.
Die Spitzen im Salzwasser kochen, kurz kalt abschrecken und absieben.
Die Morcheln waschen, trockenschleudern, in Butter rundum braten und mit Salz und Pfeffer würzen.
Die Eier mit der Milch, Salz und Pfeffer verquirlen, zu den Spargeln geben, mit einem Holzlöffel oder Schneebesen bei geringer Hitze (am Herdrand) unter ständigem Rühren zu einer weichen, flockigen Masse rühren und die Sahne beifügen.
Die Spargelspitzen kurz mit den Morcheln erhitzen.

Anrichten

Die Rührei auf vorgewärmten Tellern anrichten, mit den Spargelspitzen und Morcheln garnieren und servieren.

Meine Tips

Rührei nur bei Bedarf mit dem Schneebesen rühren.
Alternative mit weißen Spargeln.
Rührei mit feinen Kräutern und Tomaten.
Rührei mit Trüffelcreme und Kartoffeln.

Pochierte Eier auf Auberginen

4 Eier
1 l Salzwasser mit 1 Eßl. Essig
1 Aubergine (Melanzane)
Olivenöl
Tomatensoße
Salz, Pfeffer aus der Mühle

Garnitur:
feingeschnittener Schnittlauch
Petersilie oder Basilikum

4 Portionen

Zubereitung

Die Auberginen waschen, in feine Scheiben schneiden, salzen und auf einem Tuch oder Küchenkrepp ausbreiten.
Die Tomatensoße wie im Grundrezept zubereiten.
Die Eier einzeln in ein tiefes Teller schlagen, ins kochende Salzwasser gleiten lassen, drei Minuten kochen, mit einer Schaumkelle herausheben, an den Enden zuparieren und in gesalzenes warmes Wasser legen.
Die Auberginenscheiben in Olivenöl in einer passenden Pfanne auf beiden Seiten kurz anbraten.

Anrichten

Die Auberginenscheiben im Kreis auf Tellern anrichten, das Ei in die Mitte plazieren, mit Tomatensoße überziehen, mit Schnittlauch bestreuen, garnieren und servieren.

Mein Tip

Frische Eier verwenden, damit das Eiweiß das Eigelb schön einschließt.

Pochierte Eier auf Auberginen

Pizza Margherita

Teig:
200 g Weizenmehl
15 g Hefe
ca. 1/8 l lauwarmes Wasser
1 Eßl. Olivenöl
Salz
Öl zum Bestreichen
400 g Pelati (Eiertomaten)
400 g Mozzarella
Origano, Salz

4 Portionen

Zubereitung

Das Mehl in eine Schüssel geben, in die Mitte eine Vertiefung drücken, die Hefe in einen Hafen bröckeln, mit etwas Wasser auflösen und in die Mehlvertiefung einrühren, das Salz auf den Mehlrand streuen, das Olivenöl und das restliche Wasser beifügen und auf einer sauberen, leicht bemehlten Arbeitsfläche zu einem geschmeidigen Teig kneten. Den Teig in einer Schüssel mit Öl bestreichen, zugedeckt an einem warmen Ort ca. zwanzig Minuten gehen lassen, auf einer bemehlten Arbeitsfläche zu einem Rechteck von 40 x 30 cm ausrollen, auf ein leicht geöltes Backblech legen, mit den zerdrückten Pelati und der in Würfel geschnittenen Mozzarella belegen, salzen, mit geriebenem Origano bestreuen, mit wenig Olivenöl beträufeln und im vorgeheizten Rohr bei 250 Grad ca. zehn Minuten backen, in Portionen schneiden und heiß servieren.

Weitere Varianten

Capricciosa: Wie oben, zusätzlich mit gekochtem Schinken und Artischocken in Öl belegen.
Prosciutto/Funghi: Wie oben, zusätzlich mit Champignons und Schinken belegen.

Sie können die Pizzas nach Ihrem Geschmack zusätzlich mit folgenden Zutaten belegen:
Fischfilets, Muscheln und Krustentieren
pikanter kalabresischer Salami
Knoblauch, Zwiebeln
Oliven, Sardellen, Kapern
Steinpilzen, Pfifferlingen
Spargeln, Eiern, Peperoni

Taubenbrüstchen mit Morcheln

4 Taubenbrüstchen, Butter zum Braten
Gewürzsalz
20 Spitzmorcheln (trockene), Butter zum Braten
20 Brokkoliröschen
4 Eßl. Crème fraîche, eine Prise Zucker, Salz

Garnitur: geröstete Pinienkerne, gehackte Petersilie

4 Portionen

Zubereitung

Die Morcheln in lauwarmes Wasser legen und weichen lassen.
Die Brokkoliröschen in Salzwasser knackig kochen.
Die Taubenbrüstchen enthäuten, würzen, in der Butter auf beiden Seiten anbraten, rosig braten, zudecken und warm stellen. Die Morcheln gut durchwaschen, ausdrücken, würzen und in der Butter anbraten.
Die Crème fraîche erhitzen, salzen, den Zucker beifügen und kurz ziehen lassen.

Anrichten

Die Taubenbrüstchen in Scheiben schneiden, auf vorgewärmten Tellern plazieren, mit den Morcheln und Brokkoliröschen umlegen, mit der Crème fraîche überziehen, den Pinienkernen und Petersilie garnieren und servieren.

Taubenbrüstchen mit Morcheln

Meine Tips

Auf Wunsch können Sie die Taubenbrüstchen auch blutig braten.

In der Saison (Frühjahr) sind frische Morcheln empfehlenswert.

Tauben sind im Frühjahr am schmackhaftesten.

Spargeln im Haselnußbrotteig

Haselnußbrotteig von 100 g Mehl (siehe Haselnußbrot mit Gorgonzolacreme)
8 weiße Spargeln
Salzwasser mit wenig Butter und Zucker
16 Scheiben Hausschinken, 1 Ei zum Bestreichen

Tatarensoße:
3 Eßl. Mayonnaise, 1 Teel. feingeschnittener Schnittlauch
1 hartgekochtes Ei
(siehe Spargeln mit drei Soßen)
Kleie fürs Backblech

Garnitur:
Schnittlauch, Radieschen in feine Streifen geschnitten

4 Portionen

Zubereitung

Ein Backblech leicht mit Kleie bestreuen.
Die Spargeln vom Kopf her schälen, hinten ca. 5 cm wegschneiden, waschen, im kochenden Salzwasser mit Butter und Zucker aufkochen und darin leicht abkühlen lassen.
Den Brotteig wie im Rezept zubereiten, auf einer sauberen, bemehlten Arbeitsfläche in vier gleich große Teile schneiden, rund wirken und zu Recktecken von ca. 10 x 5 cm ausrollen.

Spargeln in Haselnußbrotteig

Die noch lauwarmen Spargeln aus dem Sud nehmen, in den Schinkenscheiben einrollen, in den Brotteig einschlagen, mit dem verquirlten Ei leicht bestreichen, auf das vorbereitete Backblech legen und im vorgeheizten Rohr bei 200 Grad ca. 15 Minuten backen.

Anrichten

Die Spargeln im Brotteig in Scheiben schneiden, auf Tellern anrichten, mit Schnittlauch, der Soße und Radieschen garnieren und servieren.

Meine Tips

Sie können Haselnußbrotteig von 500 Gramm Mehl und vom übrigen Teig Haselnußbrot zubereiten.

Die Eier können Sie auch grob hacken.

Frikassee von Hühnerbrust

Auslegeteig:
100 g Weizenmehl
50 g Butter
Salz, ein wenig Wasser

200 g Hühnerbrüstchen
2 Eßl. gekochte Erbsen
2 gedämpfte Karotten in Stäbchen geschnitten
1 Teel. Butter
2 cl Weißwein
100 g Crème fraîche, eine Prise Zucker
100 g geschlagene Sahne
gehackte Petersilie

4 Portionen

Zubereitung

Für den Teig alle Zutaten zu einem geschmeidigen Teig kneten und mindestens eine Stunde ruhenlassen.

Den Auslegeteig auf einer bemehlten Arbeitsfläche dünn ausrollen, rund ausstechen, über Muschelformen legen und im vorgeheizten Rohr backen.

Die Hühnerbrüstchen in kleine Würfel schneiden, in der Butter ohne Farbe nehmen zu lassen braten, würzen, mit Weißwein ablöschen, die Crème fraîche, Erbsen und Karotten beifügen, zugedeckt kurz ziehen lassen und mit der geschlagenen Sahne montieren.

Anrichten

Die warmen Muscheln auf vorgewärmten Tellern plazieren, das Frikassee darin anrichten, mit gehackter Petersilie bestreuen und servieren.

Meine Tips

Das Frikassee immer expreß in den Muscheln anrichten, da sie sonst zu weich werden.

Alternative mit feinen Kräutern anstelle der Karotten und Erbsen.

Fein und elegant mit Morcheln.

Mexikanische Art, mit in Streifen geschnittener roter Paprikaschote in Butter weich gedünstet, auf Wunsch mit Cayennepfeffer pikant.

Frikassee von Hühnerbrust

Käsetorte mit Artischockenpüree

Teig:
200 g Weizenmehl
50 g Weizenvollmehl
150 g Butter
50 g Sesamsamen
1 Teel. Kümmel
50 g Parmesankäse
2 Eier
1/8 l Sahne
Salz

5 Eier
300 g Sahne
200 g Milch
100 g geriebener Parmesankäse
100 g beliebiger Schmelzkäse in feine Würfel geschnitten
ein wenig Salz, Muskatnuß gerieben
5 Artischocken, Saft von 2 Zitronen
ein wenig Essig, 1 Teel. Mehl, Salz, kalte Butter

8–12 Portionen

Zubereitung

Die Zutaten für den Teig in einer Mehlvertiefung mischen, zu einem glatten Teig kneten und in Frischhaltefolie im Kühlschrank kurz ruhen lassen.
Die Artischocken putzen, Salzwasser mit Mehl kalt aufstellen, Zitronensaft und Essig beifügen und die Artischockenböden darin kochen.
Die Milch, Sahne und Eier mit dem Rührgerät gut verquirlen, den Käse beifügen und würzen.
Den Teig ausrollen, eine Tortenform damit auslegen und blind backen.
Den Eier-Käse-Guß einfüllen und im Rohr bei 160 Grad ca. 30 Minuten backen.

Die Artischockenböden mit wenig kalter Butter im Mixer pürieren.

Anrichten

Die Torte in beliebig große Stücke schneiden, auf vorgewärmten Tellern plazieren und mit Artischockenpüree servieren.

Meine Tips

Die Käsetorte können Sie als Grundlage für viele Varianten eigener Kreationen verwenden.

Besonders elegant wirkt die Torte in Portionen, in Florentiner Formen gebacken.

Kutteln mit Tomaten, Parmesan und Steinpilzen

400 g weichgekochte Kutteln vom Rind
400 g Tomatensoße
400 g frische geputzte Steinpilze
Butter
3 Eßl. geriebener Parmesankäse
gehackte Petersilie, Salz, Pfeffer aus der Mühle

Garnitur: Petersilie

4 Portionen

Zubereitung

Die Kutteln in feine Streifen und die Steinpilze in Scheiben schneiden.
Die Kutteln mit der Tomatensoße erhitzen, zugedeckt zehn Minuten bei geringer Hitze ziehen lassen, die Steinpilze in Butter rösten und würzen, den Parmesankäse unter die Kutteln rühren und eventuell nachwürzen.

Kutteln mit Tomaten

Anrichten

Die Kutteln auf vorgewärmten Tellern verteilen, mit den Steinpilzen und Petersilie garnieren und servieren.

Meine Tips

Gelungene Alternative mit Morcheln.

Gehobelter Parmesankäse als Garnitur.

Ersatzweise können Sie auch 100 Gramm Trockenpilze, in wenig Wasser eingeweicht, verwenden.

Champignons auf Toast

4 Scheiben Toastbrot
400 g Champignons
1 Teel. Butter
$^1/_4$ l geschlagene Sahne
ein wenig gehackte Petersilie und Knoblauch
Salz, Pfeffer aus der Mühle
1 Tomate mit 2 Blättern Basilikum
Olivenöl, Salz
geriebener Parmesankäse

Garnitur: Basilikumblätter, Tomatenkirschen

4 Portionen

Zubereitung

Das Toastbrot im Ofen, Toaster oder auf der Grillplatte toasten.
Die Champignons waschen, in Scheiben schneiden, in der heißen Butter anschwitzen, kurz bis zur goldenen Farbe rösten, würzen. Die Sahne, Petersilie und Knoblauch beifügen und zu einer cremigen Konsistenz reduzieren.

Die Tomaten kurz in kochendes Wasser heben, kalt abschrecken, schälen, entkernen, in Würfel schneiden und mit dem geschnittenen Basilikum in etwas Olivenöl schwenken und würzen.
Die Champignonmasse auf den Toastbrotscheiben verteilen, die Tomaten in der Mitte plazieren, mit Parmesankäse bestreuen, mit wenig zerlassener Butter beträufeln und unter dem Salamander gratinieren.

Anrichten

Die Toasts auf vorgewärmten Tellern plazieren, mit Basilikum und einer halben Tomatenkirsche garnieren und servieren.

Meine Tips

Sie können den Toast auch mit Steinpilzen oder Mischpilzen zubereiten.

Die Champignons ohne Sahne, mit einer Scheibe Schmelzkäse belegen und gratinieren.

Champignons auf Toast

Gebackene Zucchini auf Paprikamus

2 Zucchini
1 Paprikaschote
Salz, Pfeffer aus der Mühle
Weizenmehl, 2 Eier und Semmelbrösel zum Panieren
Öl zum Backen

Garnitur: 2 kleine Tomaten mit Olivenöl und Salz, Petersilie

4 Portionen

Zubereitung

Die Zucchini waschen, in Scheiben schneiden, salzen, etwas ziehen lassen und auf Küchenkrepp auslegen.

Die Paprikaschote halbieren, entkernen, waschen, mit der Oberseite auf ein Backblech legen, und im Rohr ca. fünf Minuten bei Oberhitze braten, bis die Haut Blasen wirft.

Die Paprikaschote enthäuten und im Mixer mit Salz und Pfeffer pürieren.

Die Tomaten übers Kreuz einschneiden, in kochendes Wasser heben, kalt abschrecken, schälen, entkernen und in Stücke schneiden, in Olivenöl leicht anschwitzen und salzen.

Die Zucchini mehlieren, durch das verquirlte Ei ziehen, in den Bröseln wälzen, im heißen Fett backen und auf Küchenkrepp legen.

Anrichten

Die Zucchini im Kreis auf vorgewärmten Tellern anrichten, das Paprikamus in die Mitte, mit den Tomaten und Petersilie garnieren und servieren.

Mein Tip

Die Zucchini grillieren.

Polentaecken in Steinpilzkruste auf Tomatencreme

125 g Polentamehl gemischt (grob, fein)
1/2 l Wasser
1 Teel. Butter
2 cl Milch
Salz
Mehl, 2 Eier und gemixte Trockenpilze zum Panieren

Tomatencreme: 4 Eßl. Tomatensoße mit 2 Eßl. Schlagsahne erhitzen

Garnitur:
gegrillte Steinpilzscheiben mit Salz und Knoblauch würzen
feingeschnittener Schnittlauch

4 Portionen

Zubereitung

Das Wasser samt Butter, Milch und Salz aufkochen, das Polentamehl unter ständigem Rühren einrieseln und unter öfterem Umrühren ca. 45 Minuten langsam kochen lassen, in eine dreieckige, mit kaltem Wasser ausgespülte Terrinenform füllen und erkalten lassen.

Die Polenta in 1/2 cm dicke Scheiben schneiden, in Mehl wälzen, in verquirlte Ei legen, im gemixten Steinpilzpulver wenden, im heißen Öl auf beiden Seiten goldig backen und auf Küchenkrepp legen.

Anrichten

Die Polentaecken auf vorgewärmten Tellern anrichten, mit der Tomatencreme zum Teil überziehen, mit den Steinpilzscheiben garnieren, mit Schnittlauch bestreuen und servieren.

Meine Tips

Schupfnudeln oder Kartoffelnocken mit geriebenem Parme-

Gebackene Zucchini

sankäse und Steinpilzpulver bestreuen, mit brauner Butter abschmälzen und servieren.

Ideal auch für Teigtaschen mit Steinpilzfülle, die Sie mit Parmesan, Steinpilzpulver und brauner Butter abschmälzen.

Achten Sie, daß die Trockenpilze erster Qualität sind, frei von Sand und Erde.

Die Trockenpilze zu feinem Pulver mixen und in einem Glas trocken und verschlossen aufbewahren, so halten sie gleich lange wie die Trockenpilze selber.

Kalbshirnplätzchen auf Champignon-Petersilien-Creme

150 g gewässertes, geputztes Kalbshirn
1 Ei
Semmelbrösel
gehackte Petersilie
Salz, Pfeffer aus der Mühle
Butter zum Backen
250 g frische Champignons
Butter, Salz, 4 EßI. geschlagene Sahne
gehackte Petersilie, Salz, geriebener Parmesankäse

Garnitur: *Petersilie*

4 Portionen

Zubereitung

Das Kalbshirn feinhacken, mit dem verquirlten Ei, Semmelbröseln, Petersilie, Salz und Pfeffer verrühren und kurz ziehen lassen.

Von der Hirnmasse mit einem Löffel runde Plätzchen in eine vorgeheizte Bratpfanne mit Butter gleiten lassen, auf beiden Seiten goldig backen, auf Küchenkrepp legen und warm stellen.

Die Champignons waschen, in Scheiben schneiden, in der heißen Butter anschwitzen, kurz bis zur goldigen Farbe rösten und würzen.

Die geschlagene Sahne erhitzen, die Petersilie, Salz und Parmesankäse beifügen.

Anrichten

Die Petersiliencreme auf vorgewärmten Tellern verteilen, die Champignons darauf anrichten, je vier oder nach Größe beliebige Anzahl Plätzchen darauf plazieren, mit Petersilie garnieren und servieren.

Mein Tip

Sie können auch mit wenig geriebenem Parmesankäse anstelle der Brösel binden.

Gebackene Blätterteigtaschen mit Kalbsleberfülle auf Zwiebelgratin

200 g Blätterteig, 180 g Kalbsleber
1 Teel. Butter zum Braten, Zitronensaft
ein wenig feingeschnittener Majoran
Salz, Pfeffer aus der Mühle, Öl zum Backen

Zwiebelgratin:
1–2 Zwiebeln, in feine, gleichmäßige Streifen geschnitten
3 cl Olivenöl, einige Tropfen Essig
5 EßI. geschlagene Sahne, Salz
1 EßI. Parmesankäse gerieben
Parmesankäse zum Bestreuen
zerlassene Butter zum Beträufeln

Garnitur: *Feldsalat*

4 Portionen

Kalbshirnplätzchen

Zubereitung

Die Kalbsleber enthäuten, in ca. $^1/_2$ cm große Würfel schneiden, in der Butter anbraten, mit Zitronensaft, Majoran, Salz und Pfeffer würzen und erkalten lassen.

Den Blätterteig auf einer bemehlten Arbeitsfläche zu Streifen von beliebiger Länge und einer Breite von 10 cm ausrollen, mit einem Teelöffel die Kalbsleber in einem Abstand von 7 cm auftragen, mit verquirltem Eiweiß rundum bestreichen, zusammenklappen, dazwischen gut andrücken, mit einem runden Ausstecher Halbmonde ausstechen, die Sie an den Rändern nochmals gut andrücken, im heißen Öl auf beiden Seiten goldig backen und auf Küchenkrepp legen.

Die Zwiebel in Olivenöl anschwitzen, den Essig beifügen, kurz dünsten, salzen und mit der Sahne und Parmesankäse vermischen.

Anrichten

Die Zwiebelmasse auf vorgewärmten Tellern auftragen, mit Parmesankäse bestreuen, mit Butter leicht beträufeln, unter dem Salamander gratinieren, je drei Taschen darauf anrichten, mit Feldsalatblättchen garnieren und servieren.

Brandteigpastete mit Kalbszüngerl

Brandteig von $^1/_8$ l Milch
50 g geriebener Bergkäse
200 g gekochtes Kalbszüngerl
200 g Crème fraîche
Salz, Pfeffer aus der Mühle
1 Eßl. geschnittener Schnittlauch

4 Portionen

Zubereitung

Den Brandteig mit dem Bergkäse verrühren und in einer Spritzbeutel mit Sterntülle einfüllen. Auf ein mit Öl gefettetes Butterpapier gleichmäßige Ringe aufspritzen, ins 170 Grad heiße Öl gleiten lassen, unter öfterem Wenden zehn Minuten backen und auf Küchenkrepp legen.

Das Kalbszüngerl in Würfel schneiden, in der Crème fraîche aufkochen, leicht reduzieren, würzen und zum Schluß mit Schnittlauch verfeinern.

Anrichten

Die Pasteten auf vorgewärmten Tellern verteilen, das Kalbszüngerl einfüllen und servieren.

Meine Tips

Anstelle von Bergkäse können Sie auch Parmesankäse verwenden.

Als Fülle eignet sich auch: Hühnerbrüstchen, Gemüsewürfel, Pilze, Kalbsleber, Kalbsbries, Hirn und Rohschinken.

Anstelle vom Kalbszüngerl in Crème fraîche oder in eine Samtsoße mit dem eigenen Fond.

Raffiniert wirken die Pasteten mit feinen Schinkenwürfeln oder feinen Kräutern im Teig.

INHALTSÜBERSICHT

Grundrezepte

Auslegeteig	4
Blätterteig	6
Brandteig	5
Brauner Kalbsfond	4
Heller Wachtelfond	7
Crêpes	6
Fischfond	7
Heller Geflügelfond	7
Kartoffelteig	4
Mayonnaise	4
Nudelteig	5
Palatschinkenteig	5

Kalte Vorspeisen

Buchelen-Terrine	8
Carpaccio vom Rinderfilet	10
Kalbskopf mit Walnuß-Kräutersoße	8
Kalbszüngerl mit Zucchini	16
Mousse von Gorgonzola	12
Räucherlachsparfait	12
Rehrückenfilet auf Wintersalat	16
Rosa gebratene Entenbrust	14
Tausendblätter von Spargeln	18

Suppen

Feine Kräuterschnittsuppe	20
Grünkernsuppe	22
Kartoffelkressesüppchen	20
Kürbisrahmsuppe	22
Meine Brotsuppe	24
Pfifferlingcremesuppe	20
Rindfleischbrühe	22
Zwiebelsuppe	24

Nudelgerichte

Bandnudeln mit Selchfleisch	30
Breite Bandnudeln	28
Feine Bandnudeln mit Steinpilzen	34
Lasagnette mit Spargeln	26
Makkaroni Chef	26
Orecchiette in pikanter Soße	26
Schlutzkrapfen	32
Schmetterlingsnudeln mit Rohschinken	32
Spaghetti mit Tomaten	34
Teigtaschen mit Spinatfülle	30

Reisgerichte

Grünkernrisotto mit Steinpilzen	38
Hirsering mit Lammfilet	36
Reisorangen	40
Reistimbale mit Steinpilzcreme	36
Risotto mit Parmesan	38

Nocken

Graukasnocken auf Blattspinat	44
Grießnocken überbacken	46
Käsenockerln in Tomatencreme	42
Nußnocken mit Butter und Käse	47
Quarknocken mit Kräutercreme	42

INHALTSÜBERSICHT

Südtiroler Vorspeisen

Buchweizenspätzle	48
Gröstel mit Kalbszüngerl	56
Kürbisspätzle	52
Palatschinken mit Mangold	54
Schupfnudel mit Kalbshirn	52
Schwarzplentenknödel	58
Speckknödel mit Kartoffeldressing	48
Steinpilzfleckerln	54
Steinpilzknödel	50

Gemüsevorspeisen

Blumenkohlflan auf Salatgurken	64
Crêpes mit Kürbis	60
Fencheltörtchen	66
Kartoffeltorte	60
Sommergemüse in der Palatschinke	62
Spargeln mit drei Soßen	64

Fischvorspeisen

Bandnudeln mit Calamaritinte	68
Cannelloni mit Seezungenmousse	75
Fischsuppe nach meiner Art	74
Gedämpftes Saiblingsfilet	75
Gefüllte Zucchiniblüten	70
Geräucherte Lachsforelle	68
Jakobsmuscheln	74
Lachsfilet im Spargelmantel	72

Eiervorspeisen

Pochierte Eier auf Auberginen	78
Rühreier mit grünen Spargeln	78

Kreative traditionelle Vorspeisen

Champignons auf Toast	88
Frikassee von Hühnerbrust	84
Käsetorte	86
Kutteln mit Tomaten	86
Pizza Margherita	80
Spargeln in Haselnußbrotteig	82
Taubenbrüstchen mit Morcheln	80

Gebackene Vorspeisen

Brandteigpastete	94
Gebackene Blätterteigtaschen	92
Gebackene Zucchini	90
Kalbshirnplätzchen	92
Polentaecken in Steinpilzkruste	90